Agradecimientos

Quiero expresar mi más profundo agradecimiento a mi familia, cuyo apoyo incondicional ha sido una fuente constante de inspiración y fortaleza a lo largo de todo este proceso. A mis padres, por enseñarme desde siempre el valor del esfuerzo, la constancia y el trabajo honesto; por su ejemplo silencioso y su confianza, que han sido la base sobre la que hoy construyo cada logro.

A mi mujer, María, mi compañera de vida y mi mayor sostén, gracias por tu amor, tu paciencia infinita y tu fe en mí incluso en los momentos más difíciles. Por caminar a mi lado en cada paso de este camino y recordarme, con tu apoyo inquebrantable, que los sueños compartidos siempre merecen la pena.

Y a ti, hijo mío, Marcos, para que algún día sepas que nada llega por casualidad: que con esfuerzo, dedicación y trabajo constante todo se puede conseguir. Este libro es también para ti, para que te acompañe como testimonio de que creer en uno mismo y no rendirse nunca da sus frutos.

Este libro es para ustedes, por todo lo que me han dado y por ser mi mayor motor para seguir adelante.

ACCESO GRATIS a la Lectura en la Nube

Para visualizar el libro electrónico en la nube de lectura envíe junto a su nombre y apellidos una fotografía del código de barras situado en la contraportada del libro y otra del ticket de compra a la dirección:

ebooktirant@tirant.com

En un máximo de 72 horas laborables le enviaremos el código de acceso con sus instrucciones.

LOS FUNDAMENTOS TEÓRICOS DE LA CRIMINOLOGÍA
Origen y evolución

Procedimiento de selección de originales, ver página web:
www.tirant.net/index.php/editorial/procedimiento-de-seleccion-de-originales

LOS FUNDAMENTOS TEÓRICOS DE LA CRIMINOLOGÍA
Origen y evolución

DANIEL SUÁREZ ALONSO

tirant lo blanch
Valencia, 2026

En caso de erratas y actualizaciones, la Editorial Tirant lo Blanch publicará la pertinente corrección en la página web www.tirant.com.

DIRECTOR DE COLECCIÓN
Vicente Garrido Genovés

EDITA: TIRANT LO BLANCH
C/ Artes Gráficas, 14 - 46010 - Valencia
TELFS.: 96/361 00 48 - 50
FAX: 96/369 41 51
Email: tlb@tirant.com
www.tirant.com
Librería virtual: www.tirant.es
DEPÓSITO LEGAL: V-1030-2026
ISBN: 979-13-7040-314-0
MAQUETA: Disset Ediciones

Si tiene alguna queja o sugerencia, envíenos un mail a: *atencioncliente@tirant.com*. En caso de no ser atendida su sugerencia, por favor, lea en *www.tirant.net/index.php/empresa/politicas-de-empresa* nuestro procedimiento de quejas.

Responsabilidad Social Corporativa: http://www.tirant.net/Docs/RSCTirant.pdf

Índice

Prólogo

La Criminología se erige como una ciencia social intrínsecamente interdisciplinaria, cuya vocación principal es desvelar la complejidad etiológica del delito, analizando sus causas, su génesis, sus manifestaciones y la reacción social que provoca. Lejos de ser una disciplina estática, se encuentra en un estado de perenne evolución, forjada y redefinida continuamente por los aportes del derecho, la psicología, la sociología, la biología y la economía. A lo largo de su rica historia, numerosos paradigmas han intentado ofrecer una explicación totalizadora del fenómeno criminal, dando lugar a un fascinante mosaico de teorías que constituyen el armazón conceptual de nuestra disciplina.

Este libro no es solo una compilación, sino un recorrido analítico y exhaustivo por las principales corrientes teóricas que han articulado la comprensión moderna del delito. Busca ofrecer al lector un marco integral y multifactorial que le permita evaluar el fenómeno criminal desde la perspectiva del individuo, el entorno social y las estructuras de poder.

Nuestra inmersión comienza con el análisis de los Modelos Psicologicistas, aquellos que orientaron inicialmente el foco de la etiología criminal hacia el mundo interno del individuo. Dedicaremos un espacio crucial a la herencia del Psicoanálisis, explorando el pensamiento fundacional de Sigmund Freud y la influencia de sus discípulos y disidentes, como Karl Abraham, Theodor Reik, Melanie Klein y Carl Jung. Estos modelos nos ofrecen herramientas esenciales para comprender el papel de la culpabilidad inconsciente, la fijación en estadios tempranos del desarrollo, los mecanismos de defensa y la dinámica de los arquetipos en la génesis de la conducta antisocial. Adicionalmente, analizaremos las teorías del aprendizaje, que conciben el delito como una conducta adquirida mediante condicionamiento (como la teoría de Trasler) o imitación social, junto con las explicaciones basadas en la estructura de la personalidad (como la influyente Teoría de Eysenck) y el desarrollo moral (como la perspectiva de Erik Erikson), que delinean el sustrato individual de la propensión criminal.

El recorrido nos lleva luego a un cambio de enfoque fundamental, adentrándonos en el campo de la Sociología Criminal y Contextual. Se examinan en detalle escuelas seminales como la Escuela de Chicago, con sus teorías de la Desorganización Social y los Áreas Delictivas, que demostraron cómo la estructura ecológica de las ciudades influye en la tasa de criminalidad. Se incluyen las teorías de la anomia, desde la tensión estructural de Merton hasta las reformulaciones subculturales, que han brindado perspectivas clave para entender la formación de subculturas delictivas y la reproducción de la criminalidad como respuesta adaptativa a la falta de oportunidades legítimas. También se abordan las teorías ambientales y situacionales, cuyo enfoque se centra en la oportunidad y el entorno físico inmediato, redefiniendo las estrategias de prevención.

Un capítulo de especial relevancia se dedica a los Modelos centrados en el Proceso Social. Aquí se profundiza en las teorías del control (especialmente la de Hirschi), que preguntan por qué la mayoría de las personas no delinque, y las teorías del etiquetamiento (Labeling Approach), con autores como Chapman y la crítica de Opp, que han impulsado una reflexión crítica sobre el impacto estigmatizador de las instituciones de justicia, argumentando que la criminalidad es, en gran medida, un estatus social impuesto por la reacción de las agencias de control.

El análisis culmina con la revisión de las Teorías Conflictuales y Radicales, incluyendo las aproximaciones marxistas, que históricamente han cuestionado la selectividad del sistema penal, desvelando la intrínseca relación entre poder, desigualdad económica y el proceso de criminalización de ciertos sectores sociales. Finalmente, se exponen las Teorías Contemporáneas e Integradoras, aquellas que han enriquecido el campo con nuevos enfoques y metodologías. Entre estas destacan las Teorías del Curso de la Vida (Life-Course Criminology), la taxonomía del desarrollo de Moffitt, y la Teoría de la Anticipación Diferencial de Glaser, que buscan sintetizar factores individuales y sociales a lo largo del tiempo, ofreciendo una imagen más compleja y dinámica de la etiología criminal.

Este libro está concebido como una guía rigurosa y actualizada, dirigida tanto a estudiantes universitarios de criminología, psicología, sociología y derecho, como a profesionales (jueces, fiscales, personal penitenciario y de seguridad) interesados en obtener una visión panorámica y crítica de la ciencia criminológica. Su estructura temática facilita un estudio detallado y comparativo de cada escuela, fomentando una comprensión integral y reflexiva.

La criminología, como espejo de las contradicciones sociales, sigue evolucionando y adaptándose a los nuevos desafíos que impone la sociedad globalizada y digital. Es precisamente esa dinámica lo que hace que su estudio sea no solo relevante, sino absolutamente apasionante. Invitamos al lector a sumergirse en este análisis profundo, convencidos de que la comprensión de las múltiples dimensiones del delito es el cimiento indispensable para diseñar políticas públicas de prevención e intervención más justas, humanas y, sobre todo, eficaces.

Capítulo 1

Modelos psicologicistas

1.1. ¿QUÉ ES EL PSICOANÁLISIS?

El Psicoanálisis es una corriente psicológica de base psicodinámica, biologicista y psicologicista; es decir, se basa en el hecho de que en todo ser humano se produce un mecanismo de interacción entre elementos psíquicos que, en la mayoría de las ocasiones, no son conocidos por el propio sujeto. Estos mecanismos son de origen innato y biológico. Por eso en el Psicoanálisis se utilizarán términos como: consciencia, inconsciencia, asociación de ideas, análisis, etc.

El método psicoanalítico consiste en la utilización de una serie de técnicas denominadas introspectivas (que intentan llegar a las zonas no conscientes de la psique humana) para sacar a la luz todos esos componentes que allí se encuentran, siendo estas determinantes en la curación del paciente de su dolencia psicológica. A este momento se le denomina catarsis; es decir, en el momento en el que el sujeto comprenda el trauma que le produce su problema psicológico, alcanzará la catarsis y la catarsis provocará la solución del problema.

Las técnicas introspectivas comprenden actividades como el análisis de sueños, la asociación de ideas, la hipnosis y el test de manchas. La Teoría Psicoanalítica y sus técnicas se utilizan para todo tipo de problemas, incluidos los de violencia y delictivos. Tras los postulados de Freud (padre del Psicoanálisis), otros psicoanalistas han revisado y modificado el enfoque psicoanalista, abriendo diferentes ramas y apartándose en algunos casos de la Teoría Freudiana o permaneciendo fiel a ella. En la actualidad existen teorías psicoanalíticas que son de origen reciente, como la de Jacques Lacan.

1.2. EL PSICOANÁLISIS DE FREUD

Sigmund Freud fue el máximo exponente del Psicoanálisis. Tanto es así que, aunque comenzó sus estudios de la mano de otros ilustres analistas, su teoría resultó en el nacimiento del modelo psicológico del Psicoanálisis y en Freud como el padre de este.

Sigmund Freud fue un médico vienés, que desarrolló la mayor parte de su teoría entre finales del siglo XIX y principios del siglo XX. Son varios los puntos que tener en cuenta para comprender su teoría y, por lo tanto, la explicación psicoanalítica del acto criminal. Estos se describen en los siguientes apartados.

1.2.1. Los niveles de la psique humana

Por una parte, se debe tener en cuenta que Freud especifica que la psique humana se compone de tres niveles, siendo estos el Inconsciente, el Preconsciente y el Consciente.

El primero, el Inconsciente, es el lugar en el que se almacena el material vital que es inadmisible para el sujeto. Este material es reprimido por el Preconsciente (segundo nivel de la psique humana, que se mostrará a continuación) impidiendo que llegue al Consciente (tercer nivel de la psique humana).

En el Inconsciente se encuentran experiencias que provocan traumas, complejos no superados y toda una serie de contenidos de tipo principalmente sexual, que el Preconsciente oculta a modo de censor. La terapia psicoanalítica intentará llegar a los contenidos del Inconsciente para solucionar el problema del paciente, no sin lo que se denomina resistencia, que no es más que la dificultad de acceder a este primer nivel.

El segundo nivel de la psique humana está compuesto por el Preconsciente, el cual es, como se acaba de indicar, el censor de los contenidos vergonzosos o traumáticos de la experiencia de vida del sujeto, que se encuentran reposando en el Inconsciente.

Así, todo lo que puede convertir lo Inconsciente en Consciente funciona como Preconsciente, reprimiendo esos contenidos en general.

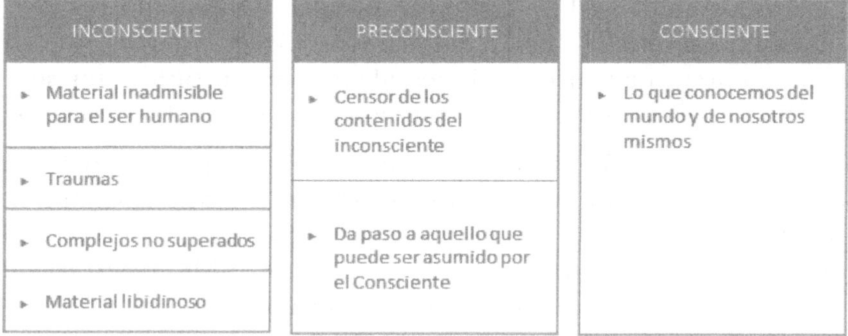

Figura 1. Niveles de la psique humana.

El tercer nivel de la psique humana es el Consciente, que se podría describir como todo aquello que conocemos a través de nuestros sentidos sobre el mundo y sobre nosotros mismos. El material del nivel Consciente viene de estímulos externos al sujeto (el mundo) y de estímulos internos del sujeto (el mundo interno de los seres humanos). Se debe señalar que, según la Teoría Psicoanalítica, el lenguaje permite que los eventos internos, como las ideas y la intelectualidad, se conviertan en elementos conscientes.

1.2.2. La estructura de la mente humana

Además de estos tres niveles de la psique humana, Freud estructura la mente en tres sistemas: el Ello, el Yo y el Super-yo. El bienestar de las personas depende de que estos tres sistemas interrelacionen correctamente entre sí.

El Ello es el nivel más antiguo de todos y contiene todo lo que es heredado e innato al ser humano. Así, estaríamos hablando de instintos, sobre todo de instintos de tipo sexual que buscan ser satisfechos por lo que se denomina el principio del placer. Los mecanismos del Ello se consideran entonces mecanismos primarios, ya que se encuentran presentes en la estructura mental humana desde su formación.

Freud concibe el Ello como un caos, sin moralidad ni juicios, sin conocimiento del bien o del mal y sin lógica. Además, esta estructura presenta contradicciones, al contener instintos opuestos. El Ello sería la primera realidad subjetiva a nivel del Inconsciente.

El Yo, el segundo nivel de la mente, sería una porción del Ello que ha evolucionado gracias a la influencia del mundo exterior. Además, actúa de intermediario entre el Ello y el ambiente social en el que se desenvuelve el sujeto. Sin el Yo, el Ello destruiría al individuo, ya que sería este solamente una amalgama de instintos. De esta manera el Yo trae hacia el sujeto el principio de supervivencia por encima del principio del placer que caracterizaba al Ello.

El Yo se compone de procesos básicos del ser humano como la percepción, la resolución de problemas y la represión. Pero el Yo también busca el placer y la evitación del dolor, solo que lo hace por medios diferentes a los utilizados por el Ello. De esta manera Freud explica que el Yo controla las demandas instintivas del Ello decidiendo el momento y la manera de satisfacerlas, o suprimiéndolas directamente. Así, también explica que una analogía sobre el Ello y el Yo sería la de un caballo con un jinete: el caballo sería el Ello y el jinete el Yo, el cual domaría y llevaría al Ello de acuerdo con sus decisiones.

Por último, se debe señalar que el tercer nivel descrito por Freud sería el Super-yo. Este sería un residuo formado dentro del Yo, en el que el control parental y la normativa social (tanto formal como informal) se prolongarían, aunque la base se encontraría siempre en el estilo parental aplicado por los padres.

La función del Super-yo es internalizar las restricciones del Ello por la cultura, la normativa y la moralidad social. El Super-yo representaría aquello que se aprende y que viene ya dado desde la educación parental, pero que se extiende a todo el ambiente social en el que se encuentra inmerso el sujeto. El Super-yo, entonces, reprimiría también al Ello, pero modularía las acciones del Yo, aportando nuevos elementos para este cometido.

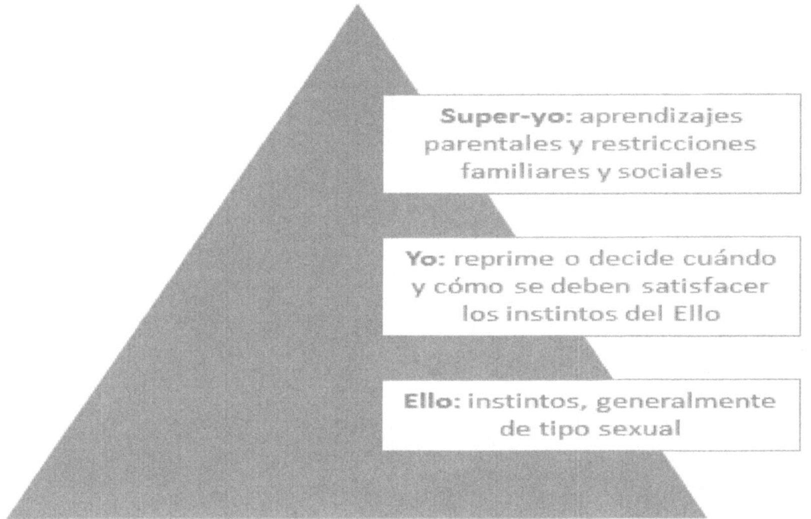

Figura 2. Niveles de la mente humana

Los niveles de Inconsciente, Preconsciente y Consciente, al igual que los contenidos del Ello, del Yo y del Super-yo, se encuentran interrelacionados, ya que, al fin y al cabo, todos ellos forman parte del funcionamiento mental y comportamental del ser humano.

De esta manera, el nivel Inconsciente contiene los elementos del Ello, el Preconsciente se encarga de almacenar las acciones del Super-yo, y el nivel Consciente se ocupa del Yo.

Esta relación compleja corresponde a desarrollos teóricos que Freud denominó Primera Tópica y Segunda Tópica. La Primera Tópica se corresponde al establecimiento del Inconsciente, Preconsciente y Consciente, y la Segunda Tópica al desarrollo teórico del Ello, el Yo y el Super-yo.

La relación entre ambas tópicas se muestra en la siguiente figura:

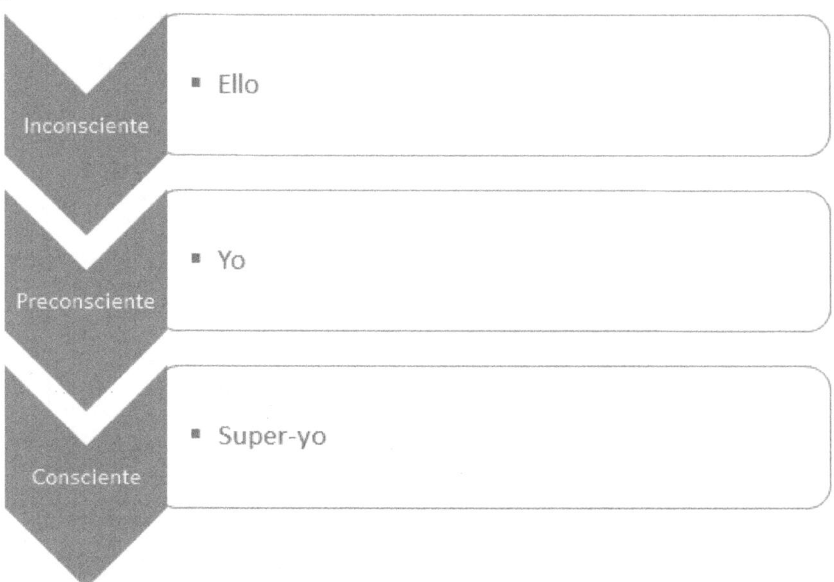

Figura 3. Relación entre las dos tópicas freudianas.

1.2.3. El desarrollo sexual

Además de las estructuras de la psique humana y de los distintos niveles de la mente, otro de los puntos de relevancia en la explicación psicoanalítica y en la explicación del acto criminal (como se verá más adelante) es el desarrollo sexual del ser humano. Este se dará en tres estadios principales con sus respectivas subdivisiones.

El primer estadio es el pre-genital, que discurre desde el nacimiento hasta los 6 años y que consta de tres fases: la fase oral, la fase anal y la fase fálica.

La fase oral, que discurre desde el nacimiento hasta los 18 meses, implica que el órgano del que se obtiene satisfacción es la boca, debido a la succión del pecho materno. En esta etapa los niños comienzan el desarrollo del placer sexual a través de otro placer que no es el estrictamente sexual, pero que sí provoca este tipo de satisfacción en el pequeño. Lo que ocurriría es que el acto de succión por parte del niño va más allá de lo necesario para nutrirse y, según Freud, el amamantamiento llega a ser una succión de un órgano sexual por placer.

La segunda fase es la fase anal. Esta discurre desde los 18 meses hasta los 3 años. El ano sería el segundo órgano del que procede la sensación de placer y se obtendría por su estiramiento muscular y el control de esfínteres.

La última fase del estadio pre-genital es la fase fálica, que comprende las edades de los 3 a los 5 o 6 años. En este período el placer se experimenta desde el aparato genital a través de la masturbación. El Complejo de Edipo tiene lugar en esta fase.

Tras el estadio pre-genital el ser humano experimenta el denominado período de latencia, desde los 6 a los 12 años. La latencia puede ser total o parcial, siendo en este momento donde se desarrollan las inhibiciones sexuales. En esta fase, según Freud, se pueden desarrollar sentimientos de rechazo, vergüenza y moralidad hacia el deseo y la actividad sexual.

La última fase descrita por Freud es la genital, dándose esta de los 12 años en adelante. En este momento la satisfacción sexual ya se obtiene -y así permanecerá en adelante- a través de los órganos sexuales. Algo que explica Freud es que la pubertad trae consigo un incremento de la libido en los hombres, pero un aumento también de la represión sexual en las mujeres. Esto último debe comprenderse teniendo en cuenta el momento sociocultural en el que Freud desarrolló su teoría.

1.2.4. El Complejo de Edipo

Otro de los elementos importantes para la comprensión del acto criminal, desde la Teoría del Psicoanálisis y en especial desde el modelo freudiano, es el Complejo de Edipo, que experimentarían tanto los niños como las niñas.

En el caso de los niños, estos adquirirían a una edad temprana un objeto hacia el que proyectar su libido, que sería la madre, mientras que se identifican con su padre. En la fase fálica, anteriormente descrita, se intensifica el objeto libidinal representado por la madre y el niño desea deshacerse de su padre y tomar su lugar. El temor a la castración que se produce en este momento provoca que se abandone ese deseo incestuoso. Así es como los niños superan el Complejo de Edipo.

También puede ocurrir en el niño que se dé una mezcla de sentimientos afectivos y de oposición hacia ambos padres.

Por otra parte, el Complejo de Edipo en niñas se manifiesta al principio al igual que en los niños, siendo la madre el primer objeto amoroso. Este vínculo hacia la madre finaliza cuando la niña se da cuenta de la inferioridad de sus órganos genitales, responsabilizando a su madre de esto. Freud habla de una envidia de pene, que desaparecería en ellas, superándose el Complejo de Edipo en un momento indeterminado, a diferencia de lo que ocurriría en el Complejo de Edipo en un niño. Es decir, el niño necesita superar este complejo en un momento determinado a causa del miedo a la castración, pero, como esta motivación no existe en la niña, solo se produciría la superación del Complejo de Edipo cuando esta se vea decepcionada en repetidas ocasiones por su padre.

1.3. EXPLICACIONES DEL ACTO CRIMINAL DESDE EL PSICOANÁLISIS

Para conocer los motivos por los que un delincuente delinque, se debe llevar a cabo un análisis a través de las técnicas introspectivas señaladas con anterioridad.

Aun así, los elementos mostrados como relevantes para la explicación psicoanalítica del acto criminal (estructuras de la psique, niveles de la mente, desarrollo sexual y Complejo de Edipo) son los comúnmente utilizados desde la Psicología Freudiana.

Por otra parte, hay que tener en cuenta que el instinto sexual, que permanece en el Ello, y que se desarrollará con la ayuda del Yo en las distintas fases señaladas por Freud, puede sufrir el estancamiento en alguna de esas etapas. En este caso se dan problemas en el desarrollo de la personalidad. Esto debe tenerse en cuenta a la hora de analizar la personalidad del delincuente.

Estos estancamientos provocan traumas que luchan por salir del Inconsciente, en la edad adulta, y que generan todo tipo de problemas de conducta y personalidad, que también pueden resultar en conductas delictivas. Dependiendo de la etapa del desarrollo sexual en la que se dé ese estancamiento las conductas problemáticas resultantes del trauma ocasionado serán de diferente tipo.

En realidad, toda clase de trauma infantil puede funcionar de esta misma manera. Lo que ocurriría es que se daría un conflicto mental por la represión de los instintos del Ello y los acontecimientos traumáticos del Inconsciente que lucharían por salir, provocando una neurosis. Los delitos serían respuestas simbólicas y sustitutivas a esos conflictos infantiles, al igual que las respuestas de tipo psicopatológico.

Pero quizá sea el Complejo de Edipo el que más se ha relacionado con la conducta delictiva. De esta manera, cuando no se supera (en la infancia, o en el momento en el que corresponda en el caso de las mujeres), provoca un sentimiento de culpa. La culpa lleva al comportamiento criminal, en un intento de conseguir el castigo penal correspondiente. El sujeto buscará castigarse a sí mismo como delincuente por el sentimiento de culpa que experimenta al no haber superado el Complejo de Edipo. Por lo tanto, el delito tiene su origen en conflictos íntimos y ocultos.

Pero, en otras ocasiones, el sentimiento de culpa no tiene nada que ver. En estos casos se da un debilitamiento del Super-yo por la incapacidad del Yo para mantener ocultos los impulsos. Además, estos sujetos son egocéntricos y presentan una tendencia autodestructora.

1.4. OTROS TEÓRICOS PSICOANALISTAS POST-FREUDIANOS

A continuación, se repasarán las principales aportaciones a la explicación del fenómeno delincuencial por parte de los teóricos psicoanalistas post-freudianos de mayor relevancia. Estos se presentarán en dos grupos. El primero estará formado por los teóricos de pensamiento ortodoxo al Psicoanálisis creado por Freud, y el segundo por autores de línea heterodoxa a este mismo.

1.4.1. Otros teóricos post-freudianos ortodoxos

El Psicoanálisis no finalizó con la obra de Freud, sino que continuó hasta nuestros días. Tras Freud, fueron varios los que, siguiendo sus postulados, revisaron su teoría y desarrollaron otras posturas psicoanalíticas, denominadas de base freudiana. A continuación, se muestran algunos de estos autores.

TEÓRICOS POST-FREUDIANOS ORTODOXOS

Theodor Reik

Alexander y Staub

Sandor Ferenczi

Karl Abraham

Melanie Klein

Jacques Lacan

Figura 4. Teóricos post-freudianos ortodoxos.

Theodor Reik

Theodor Reik (1888-1969) fue una personalidad fundamental en el desarrollo del psicoanálisis, quien gozó de la confianza y el aprecio de Sigmund Freud, siendo uno de sus discípulos más cercanos. Lo que distingue profundamente a Reik dentro de la historia del movimiento es su condición de analista de gran prestigio que desarrolló las teorías freudianas sin poseer una formación médica, lo que lo convirtió en el protagonista central de la defensa que hizo Freud del "análisis profano". Esta circunstancia expandió la visión del psicoanálisis más allá del ámbito clínico estricto, posicionándolo como una disciplina humanística y cultural.

Su aportación esencial se centró en la exploración del inconsciente y la complejidad emocional en la práctica terapéutica. La idea clave de Reik se articula en su concepto del "tercer oído", que desarrolló en su obra más famosa, Listening with the Third Ear. Este concepto no se refiere a la audición física, sino a una capacidad intuitiva y empática que debe poseer el analista para percibir el significado inconsciente y las resonancias afectivas que subyacen a lo que el paciente expresa con palabras. Reik enfatizaba que el terapeuta debe usar su propia subjetividad y emoción como una herramienta esencial, permitiendo que la información no verbalizada y el conflicto interno del paciente resuene en su propia psique para alcanzar la comprensión profunda.

Además, Reik llevó a cabo estudios pioneros sobre la dinámica de los sentimientos de culpa y el masoquismo. Él argumentó que el masoquismo no es simplemente una búsqueda de dolor, sino una compleja estrategia inconsciente. El sufrimiento o el castigo buscado funciona como una especie de pago anticipado por una transgresión real o fantaseada, lo que permite al individuo aliviar la culpa y, paradójicamente, puede ser un intento por provocar una prueba de amor o afecto por parte de otros. A través de este acto de auto-sacrificio, el sujeto busca mitigar una ansiedad interna insoportable y, finalmente, obtener una forma indirecta de placer o validación. Esta misma dinámica de liberación de la tensión inconsciente por medio de la revelación de secretos es lo que analizó en sus estudios sobre la compulsión a confesar, tanto en contextos judiciales como religiosos. El legado de Reik, por tanto, enriqueció profundamente la técnica psicoanalítica al validar la importancia de la resonancia emocional y la intuición en el arte de la escucha.

Alexander y Staub

Estos psicoanalistas desarrollaron sus postulados en los años 60 del siglo XX. Para ellos, todo ser humano es un criminal innato que se debería adaptar socialmente. Esto se produciría gracias a la superación del Complejo de Edipo.

Los sujetos no criminales reprimirían sus impulsos (en la Teoría de Alexander y Staub serían impulsos criminales) durante la etapa de latencia, pero los sujetos delincuentes no lo harían. Además, el Super-yo se encontraría incompleto en estos sujetos, algo que también explicaría los instintos delictivos, ya que la moralidad social no se interiorizaría de manera completa y competente. Los delincuentes, además, fracasarían en sus relaciones familiares.

En definitiva, estos autores seguirían responsabilizando al Complejo de Edipo como causa de la conducta delictiva por su no superación, al sentimiento de culpa que esto provoca (al estilo de los postulados de Freud) y a la no conformación adecuada del Super-yo.

Sandor Ferenczi

Ferenczi analizó a varios criminales y descubrió que el Complejo de Edipo estaba muy presente en ellos. Este no había sido resuelto en estos sujetos, y los actos delictivos representaban una venganza hacia la tiranía opresora del progenitor.

Destaca de este autor el hecho de que, según su teoría, ni los propios delincuentes pueden explicar sus actos criminales, siendo los motivos esgrimidos por ellos mismos solamente una serie de racionalizaciones complejas.

Ferenczi describe tres tipos de Yo: es decir, el Yo Instintivo, el Yo Real y el Yo Social (que se corresponderían al Ello, al Yo y al Super-yo). Cuando predomina el Yo Instintivo el delincuente es de tipo genuino, cuando predomina el Yo Real el criminal es de tipo neurótico, y cuando el predominio es del Yo Social estaríamos ante un delincuente que expresa con sus actos un sentimiento de culpabilidad.

Karl Abraham

El reconocido psicoanalista alemán Karl Abraham (1877-1925), uno de los colaboradores más cercanos y leales de Sigmund Freud, se destacó por su trabajo pionero en el estudio de las primeras fases del desarrollo psicosexual y su profunda conexión con la psicopatología, incluyendo la delincuencia.

Abraham fue uno de los pocos teóricos psicoanalíticos de su época en dedicar una atención significativa a la conducta criminal, centrándose especialmente en aquellas manifestaciones que involucran perversiones delictivas. Su principal postulado, tal como se sugiere, es que los delincuentes presentan una fijación en la fase oral del desarrollo libidinal.

Esta detención en el desarrollo se ubicaría específicamente en la etapa oral sádico-caníbal, una subdivisión que él mismo introdujo en la fase oral freudiana. Esta etapa, que coincide con la aparición de los dientes, se caracteriza porque el impulso de incorporación (alimentación) se fusiona con el sadismo (el placer agresivo de morder y destruir). Los sujetos que no logran superar exitosamente esta fase y quedan fijados en ella arrastrarían consigo los rasgos agresivos y destructivos propios de este estadio primitivo.

Como resultado de esta fijación, la personalidad del delincuente queda regida de manera predominante por el Principio del Placer, tal como lo conceptualizó Freud. Esto significa que sus acciones están impulsadas por la búsqueda de la satisfacción inmediata de sus instintos y deseos, sin poder someterse al Principio de Realidad que rige las demandas y límites sociales. La falta de desarrollo adecuado en las etapas posteriores del amor objetal lleva a que las formas de satisfacción, tanto sexuales como agresivas, permanezcan en un nivel primitivo e inadaptado, manifestándose en actos que la sociedad cataloga como crímenes o perversiones delictivas.

Más allá de la criminología, la obra de Abraham es fundamental en la comprensión de la melancolía y las psicosis, ya que estableció que estas afecciones también se originan en fallas y conflictos derivados de las tempranas relaciones objetales de la fase oral.

Melanie Klein

La destacada psicoanalista austriaca Melanie Klein (1882-1960) realizó contribuciones fundamentales al psicoanálisis al centrar su investigación en el mundo interno de los niños pequeños, desarrollando la técnica del juego terapéutico para acceder a sus fantasías y ansiedades inconscientes. Sus trabajos revolucionaron la comprensión de los estadios tempranos de la mente y la formación del aparato psíquico.

En sus estudios con niños, Klein observó una correlación reveladora en aquellos que exhibían tendencias antisociales. Notó que estos niños no solo mostraban un profundo temor, sino que eran precisamente los que más temían las represalias o el castigo de sus figuras parentales. A partir de esta observación, Klein desafió directamente las nociones de la época sobre la etiología de la delincuencia. Ella argumentó que la conducta delictiva no era, como se creía comúnmente, producto de la debilidad del Superyó (la instancia moral y crítica interna), sino todo lo contrario: era causada por su extrema severidad.

Según Klein, el comportamiento antisocial surge de la intensidad de la culpa y la ansiedad persecutoria que opera en las etapas más primitivas del desarrollo. El niño con tendencias antisociales internaliza una imagen parental y, por lo tanto, un Superyó excesivamente cruel y castigador. Para defenderse de esta amenaza interna insoportable, el sujeto recurre a un mecanismo de proyección imaginativa, arrojando esta severidad punitiva hacia los padres u otras figuras externas. Al proyectar la maldad o el castigo hacia afuera, intenta escapar de la culpa interna derivada de sus propios impulsos destructivos.

En esta dinámica, la interiorización de valores prosociales o la capacidad de sentir una culpa reparadora (que sí se desarrolla en sujetos adaptados) no llega a ocurrir. El comportamiento delictivo se convierte, entonces, en la manifestación de este complejo mecanismo de defensa contra un Superyó tiránico e insoportable, un intento fallido de aliviar la ansiedad persecutoria a través de la acción en el mundo exterior. Para Klein, en definitiva, la criminalidad es el resultado de la incapacidad del Yo para integrar la culpa y el amor en las primeras etapas de la vida, quedando a merced de la crueldad de su Superyó interno.

Jacques Lacan

Lacan es posiblemente el psicoanalista con más impacto en la actualidad. Los postulados de Lacan se caracterizan por su excesiva complejidad; aun así, se intentará resumir y explicar su teoría sobre la conducta criminal.

Lacan se interesó en especial por los criminales psicóticos paranoides (se trata del tipo de esquizofrenia más peligrosa), los cuales actúan en base a las ideas delirantes y las alucinaciones que sufren. Pues bien, para Lacan, la agresividad es una pulsión que se resuelve a modo de crimen y que surge de una afección psicótica inconsciente. Esto se traduce en que el significado de los actos delictivos es acorde a las exigencias sociales que el sujeto tiene consigo mismo. De esta manera, los componentes del crimen, la elección de la víctima y la eficacia del criminal varían constantemente según el significado de los actos por parte del sujeto. Esto es así hasta el punto de que Lacan interpreta el asesinato como un intento de asesinato de nosotros mismos, que vemos reflejado en el ideal del otro.

De esta manera, la labor del análisis psicoanalítico es la de descubrir los motivos ocultos del delincuente reflejados en el delito cometido.

1.4.2. Teóricos post-freudianos heterodoxos

Además de los teóricos fieles a la postura freudiana, existen otros psicoanalistas que se apartaron de esta línea y que se engloban en los denominados teóricos heterodoxos. Estos se suelen caracterizar por el estudio de las actitudes colectivas para explicar el acto delictivo como consecuencia de una interiorización inadecuada de las normas sociales, y por tener en cuenta los procesos de socialización y los estados deficitarios y criminógenos del delincuente. Varios de estos teóricos se mostrarán a continuación.

TEÓRICOS POST-FREUDIANOS HETERODOXOS
Alfred Adler
Carl Jung
Erik Erickson
Eric Fromm

Figura 5. Teóricos post-freudianos heterodoxos.

Alfred Adler

A pesar de ser uno de los primeros discípulos de Freud, Alfred Adler abandonó sus enseñanzas y fundó la denominada Psicología Individual. En esta, el ambiente social juega un papel de gran importancia.

La obra de Adler se basa en el sentimiento de inferioridad, los impulsos de poderío y los sentimientos de comunidad. Estos últimos atenuarían los sentimientos de inferioridad y controlarían los impulsos de poderío.

Estos sentimientos precederían a las conductas antisociales, de manera que se daría un fuerte sentimiento de inferioridad, un sentimiento de aspiración hacia la superioridad y un deficiente sentimiento de comunidad.

Adler también postula que los comportamientos delictivos dirigidos hacia el prójimo son adquiridos en la infancia, cuando los niños consideran que los demás son objetos de su pertenencia. El delincuente experimentaría un sentimiento de superioridad que compensaría el sentimiento de inferioridad de la infancia.

Carl Jung

El psiquiatra y psicoanalista suizo Carl Gustav Jung (1875-1961), fundador de la psicología analítica, revolucionó el entendimiento del psiquismo humano al introducir y desarrollar el concepto de Inconsciente Colectivo. Este se diferencia del inconsciente personal freudiano al ser una capa más profunda y universal de la psique, una suerte de herencia psíquica que almacena las experiencias acumuladas de la humanidad a lo largo de su evolución y que es compartida por todos los individuos. Este estrato ancestral no contiene contenidos individuales ni vivencias reprimidas, sino patrones y predisposiciones estructurales.

El Inconsciente Colectivo se compone de Arquetipos, que son imágenes primordiales, modelos de comportamiento, o formas universales de percepción y representación de experiencias. Estos no son recuerdos o ideas como tales, sino potencialidades innatas que se manifiestan como motivos, mitos, símbolos y figuras que aparecen de manera recurrente en todas las culturas, como el Héroe, la Sombra, la Madre, el Viejo Sabio o el Tramposo (Trickster). Estos arquetipos son inconscientes en sí mismos, pero se vuelven determinantes en la vida consciente y, por ende, en la conducta humana.

Desde la perspectiva junguiana, la delincuencia o el delito pueden ser entendidos como una manifestación patológica o una actualización fallida de estos arquetipos en la vida consciente. La afirmación de que el Inconsciente Colectivo es la "causa del delito" se interpreta en el sentido de que los impulsos destructivos, primitivos o antisociales están representados en arquetipos como el de la Sombra. La Sombra encapsula todo lo que el individuo y la sociedad reprimen o consideran inaceptable (la agresión, la sexualidad, los instintos básicos), pero al ser un arquetipo universal, su energía no puede ser eliminada, sino que debe ser integrada en la personalidad.

Cuando el individuo no logra esta integración consciente y rechaza activamente su Sombra, esta puede manifestarse de manera autónoma y destructiva, actuando a través de la persona de forma inconsciente. El comportamiento delictivo, bajo esta óptica, sería una proyección descontrolada de los contenidos de la Sombra que busca su realización en el mundo exterior, una erupción de las vivencias instintivas y destructivas de la humanidad que no han sido civilizadas por el Yo. Por lo tanto, el Inconsciente Colectivo proporciona el molde psíquico para los impulsos que, si no son adecuadamente enfrentados e individualizados, pueden resultar en actos criminales.

Erik Erickson

Erik Erikson (1902-1994), psicoanalista y psicólogo del desarrollo, fue una figura fundamental que expandió el marco teórico freudiano al integrar de manera sistemática los aspectos sociales y culturales con los aspectos mentales en el proceso de crecimiento humano. Su trabajo se conoce como la Teoría del Desarrollo Psicosocial.

Erikson concibió la vida como una secuencia de ocho etapas que se extienden desde el nacimiento hasta la vejez, a diferencia de Freud, cuya teoría se centraba principalmente en la infancia. Cada una de estas etapas está definida por una crisis psicosocial específica, un conflicto bipolar que el individuo debe resolver. Estas crisis representan desafíos entre dos polos opuestos, como la Confianza vs. Desconfianza en la infancia temprana, o la Identidad vs. Confusión de roles durante la adolescencia.

La resolución exitosa de cada crisis conduce a la adquisición de una fuerza del Yo particular y enriquecedora. La meta central de este desarrollo continuo es, de hecho, el enriquecimiento y la expansión del Yo, entendido como la parte de la psique que opera con la realidad y que gestiona la interacción con el entorno social y cultural. Erikson enfatizó que la sociedad juega un papel activo en la formación de la personalidad, ya que el contexto cultural determina las expectativas y los roles que el individuo debe asumir en cada etapa. Por lo tanto, el desarrollo no es solo un proceso biológico o intrapsíquico, sino una interacción dinámica constante entre el individuo, sus necesidades internas y las demandas de su entorno social. Las fallas en la resolución de estas crisis en momentos críticos pueden dejar vulnerabilidades en la personalidad que influyen en el comportamiento futuro.

Eric Fromm

A Eric Fromm se le considera un psicoanalista humanista. En cuanto a la criminalidad, Fromm habla de destructividad y sadismo, siendo ambos elementos similares por ser consecuencia del aislamiento y la impotencia.

Las conductas sádicas estarían enraizadas en la fase sádico-anal del desarrollo sexual y las conductas destructivas serían consecuencia de una angustia existencial. Por su parte, la destructividad sería consecuencia del aislamiento social.

Al contrario de lo que defendía Freud sobre el papel de los instintos, principalmente sexuales, que se encuentran en el Ello, para Fromm la conducta humana tendría su base en los factores que distinguen al hombre de los animales, lo cual se aparta del concepto de instinto.

1.5. ALGUNAS CONSIDERACIONES SOBRE EL PSICOANÁLISIS

El modelo psicoanalista no es uno de los más utilizados hoy en día para abordar el problema de la criminalidad. De hecho, aunque en este tema además de los postulados de Freud se han mostrado otros de autores ortodoxos y heterodoxos del Psicoanálisis, en realidad son pocos los teóricos pertenecientes a esta corriente que se han ocupado en concreto del estudio del delito. Más bien, el Psicoanálisis se ha ocupado de aspectos psicopatológicos que, aunque no dejan de estar relacionados con las explicaciones de este modelo hacia el delito, siempre han quedado en segundo plano.

Si además se tiene en cuenta que los problemas de salud mental se encuentran poco relacionados con las actividades delictivas, el Psicoanálisis ha demostrado tener poca proyección en cuanto a la explicación del acto criminal. Cabe destacar una excepción a esto, que es la aplicación de los postulados Lacanianos, los cuales son los que suelen aplicarse a la hora de llevar a cabo terapias psicoanalíticas en la actualidad. Algo que también se encuentra asociado a ciertos aspectos culturales.

En España existen profesionales de la psicología de formación psicoanalítica, pero, en general, esta ha sido sustituida por modelos de intervención terapéutica de otro tipo, a causa de la ausencia de base científica del Psicoanálisis (esto se abordará en el siguiente punto).

El Psicoanálisis es sin embargo una herramienta que se ha usado (aunque también ha caído en desuso) en la realización de perfiles criminales. Así, dentro de esta técnica, se analizan, entre otras cosas, el significado psicológico de ciertos comportamientos observables en la escena de un crimen. En este sentido, las interpretaciones psicoanalíticas han permitido importantes inferencias conductuales.

Un ejemplo de esto sería el caso de un asesino que acuchilla a su víctima en los órganos genitales (el «asesino del chándal» así lo hacía). En este caso, se puede considerar el cuchillo como un sustituto del órgano genital masculino, llevando esto a toda una serie de interpretaciones en relación con la infancia y a las relaciones con la madre y las mujeres en general por parte del asesino.

De todos modos, las técnicas de tipo deductivo, en las que más se podría hacer uso de las interpretaciones psicoanalíticas, se han ido sustituyendo por técnicas de base inductiva, donde la recogida de datos y su análisis desde la estadística multivariante han permitido generar perfiles de criminales, que pueden ayudar a los investigadores de un hecho delictivo concreto.

A pesar de la poca repercusión del Psicoanálisis en el ámbito criminal, se ha incurrido en una contradicción a nivel judicial. Esta hace referencia al hecho de que el Test de Rorschach se sigue utilizando como prueba en muchos tribunales del mundo. Este es el famoso test de las manchas en el que, en función de la interpretación de las observaciones concretas de los sujetos sobre estas, se pueden realizar inferencias sobre la personalidad del sujeto analizado. El Test de Rorschach sería una técnica de análisis introspectivo propio del Psicoanálisis.

1.6. CRÍTICAS Y VALORACIONES AL PSICOANÁLISIS

La principal crítica al Psicoanálisis en todas sus manifestaciones es la ausencia de cientifismo. Es decir, no existen datos empíricos que avalen los postulados de este modelo psicológico.

En base a esto, los éxitos de la terapia psicoanalítica no se pueden atribuir ni a su terapia ni a la base teórica que la sustenta. Es decir, el éxito, cuando se produce, puede deberse a una serie de variables intervinientes que no se suelen tener en consideración. Es decir, el analista infiere que su paciente se ha recuperado por la terapia psicoanalítica, pero una inferencia es algo así como una suposición, por lo que no se pueden atribuir en ningún momento los éxitos psicoanalíticos a datos observables empíricamente.

Otra crítica, en esta línea, es el excesivo mentalismo del Psicoanálisis. Es decir, todas las estructuras psíquicas y los niveles mentales de los que parte la Psicología Psicoanalista no pueden ser comprobados objetivamente (lo mismo ocurriría con otros elementos propios de las diversas Teorías Psicoanalíticas). El Ello, el Yo, el Super-yo, el Inconsciente, el Preconsciente y el Consciente son constructos no palpables ni observables, por lo que su existencia no deja de ser una especulación.

Precisamente, en relación con estos elementos psíquicos, se ha criticado que, al ser estos de carácter biológico, cuando las explicaciones provienen de los niveles y estructuras mentales, queda claramente reflejado el carácter biológico de la Teoría Psicoanalista. Este carácter biológico, al ser el único que explicaría el comportamiento humano, sería un determinismo biológico.

Además, desde una perspectiva político-criminal, la no intervención no se considera realista. Es decir, si el delito es un intento de encontrar la pena jurídica para compensar con el castigo el sentimiento de culpabilidad que se incrusta en el sujeto al no superar el Complejo de Edipo, lo que se propone es la no intervención social frente al mismo. Además, desde una perspectiva preventiva, tampoco se podrían crear medidas de tipo psicoanalítico a causa de ese determinismo biológico anteriormente señalado.

Pero, además de las críticas al Psicoanálisis, se han resaltado una serie de virtudes, entre las que destaca el reflejo de la doble moral de la época. Y es que, en la Europa de mediados del siglo XIX, se promulgaba una moralidad sexual que después no se respetaba en la intimidad. Así, gracias al Psicoanálisis, salieron a la luz los verdaderos instintos libidinosos de los seres humanos, que se traducirían en comportamientos desviados al ser reprimidos por la moral victoriana. Pero también se señaló la doble moral de la época a causa de que el Psicoanálisis destapó casos de abusos sexuales en el ámbito familiar.

No se puede dejar de alabar el Psicoanálisis por su influencia en la cultura del cine y de la ficción en general. Y es que, gracias a las Teorías Freudianas, podemos disfrutar de grandes obras maestras del celuloide, como las de Hitchcock, además de toda una serie de lecturas de ficción, como Crimen y Castigo de Fiódor Dostoyevski. Tampoco debe olvidarse la influencia del Psicoanálisis en toda la obra de los dadaístas y surrealistas, tanto a nivel pictórico como literario, escultórico y cinematográfico.

1.7. REFERENCIAS BIBLIOGRÁFICAS

García-Pablos, A. (2016). Criminología. *Una introducción a sus fundamentos teóricos.* Valencia: Tirant lo Blanch.

García-Allen, J. (s. f.). *El Complejo de Edipo: uno de los conceptos más polémicos de la teoría de Freud.* Psicología y Mente.

Greiser, I. (2011). *¿Qué es lo que el psicoanálisis puede aportar a la criminología?* Radar, 61.

Hikal, W. (2012). *Criminología psicoanalítica, conductual y del desarrollo.* México: Editorial Wael Hikal.

Nelson-Jones, R. (2001). *Counselling and Therapy*. Londres: Continuum.

Vázquez, R. (2018). *La conducta antisocial vista desde el Psicoanálisis. Psicología y Mente*. Recuperado de https://psicologiaymente.com/clinica/conducta-antisocial- psicoanalisis

Capítulo II

Modelos psicologicistas: teorías del aprendizaje, teorías del aprendizaje social y teoría de feldman

En este capítulo se llevará a cabo una introducción a las aproximaciones psicológicas de la explicación del fenómeno delincuencial. En el capítulo «Modelos psicologicistas: Explicación psicoanalítica del acto criminal» ya se comenzó con este tipo de teorías, sin embargo, en este tema, se mostrarán otras de muy diferente trayectoria.

Por una parte, se explicarán las bases del conductismo, que se deberán tener claras para comprender los modelos teóricos que se irán explicando a lo largo del tema. Se deberá tener en cuenta que las Teorías Criminológicas pertenecientes a este capítulo no son nunca puras, sino que estos procesos conductuales se unen, en ocasiones, a factores biológicos para explicar el comportamiento delictivo y, en otras, a elementos de tipo social, que influyen en los procesos de aprendizaje que se defienden desde el conductismo.

1. INTRODUCCIÓN A LOS MODELOS PSICOLOGICISTAS

La aproximación desde la Psicología a la explicación del fenómeno delincuencial vino de la mano del positivismo. Recordemos que la Criminología nació de la mano de este, cuando Lombroso llevó a cabo los primeros estudios científicos con delincuentes. Pues bien, al igual que el positivismo biológico, con este autor y otros, contribuyó al nacimiento y continuidad de la Criminología científica, la Psicología también se aproximó a la explicación criminológica desde la ciencia.

En este apartado se mostrarán una serie de conceptos básicos para poder comprender las Teorías Psicologicistas del tema. Aunque este aparezca con el título de «Modelos psicologicistas» y el anterior lleve el de «Explicación psicoanalítica del acto criminal» debe comprenderse que el Psicoanálisis también es un modelo psicológico, pero se ha mostrado en un tema individual por la complejidad de sus postulados y su impacto social.

En primer lugar, se deben explicar los conceptos de refuerzo y castigo propios del modelo conductista en Psicología. Un refuerzo es una consecuencia positiva a una conducta. Aunque puedan parecerse, un refuerzo es diferente a un premio. Un premio se queda en una experiencia agradable, mientras que el refuerzo es más poderoso, ya que aumenta la posibilidad de que la conducta reforzada aumente en el tiempo. Si algo positivo a una conducta no tiene este poder, esa consecuencia no será un refuerzo, será solamente un premio o una consecuencia agradable.

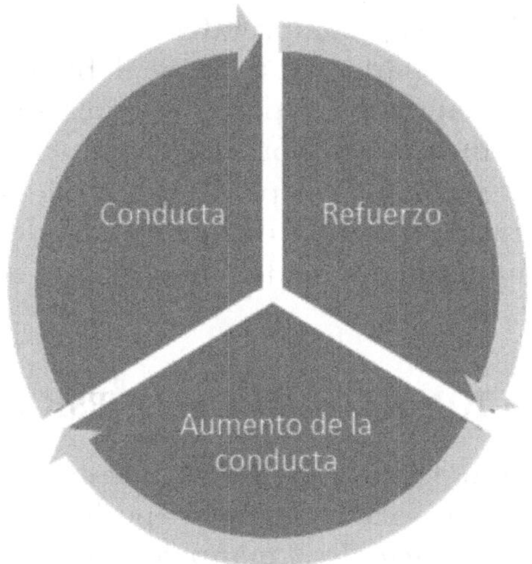

Figura 1. Explicación del proceso de refuerzo

El refuerzo puede ser positivo o negativo. Independientemente de estos «apellidos» (positivo y negativo), nunca hablaremos de castigos o consecuencias desagradables para el caso del refuerzo negativo. Un refuerzo siempre es algo bueno, que sea «positivo» o «negativo» se encuentra relacionado con la manera en la que se obtiene.

Así, el refuerzo positivo es directo: es decir, se aplica o se obtiene tras la consecución de algún tipo de conducta. Por ejemplo, si un sujeto roba un ordenador, la conducta sería el acto de robar, y el ordenador un refuerzo positivo obtenido directamente de la conducta reforzada (el robo).

Por otra parte, el refuerzo negativo sería algo agradable que se obtiene por la eliminación de algo negativo que está experimentando el sujeto. Por ejemplo, si nos quitamos un zapato porque nos hace daño, estaremos ante un proceso de refuerzo negativo. Así, la conducta de descalzarse se verá reforzada al desaparecer el dolor, pero el refuerzo será negativo porque lo positivo (la desaparición del dolor) viene provocado de la eliminación de algo negativo, que estaba ahí con anterioridad (el zapato que causaba el dolor ha desaparecido).

En el ámbito criminológico, y como explica Patterson en su teoría en cuanto a un tipo específico de violencia filio-parental, se puede considerar que los malos tratos de un hijo hacia un padre o madre van encaminados a eliminar los castigos o prácticas coercitivas de estos en su patrón educacional. Si el menor consigue este objetivo, estos malos tratos filio-parentales serán reforzados negativamente.

Figura 2. Proceso explicativo del funcionamiento del refuerzo positivo y el refuerzo negativo.

Además de refuerzos, también existen castigos. Estos sí serían consecuencias negativas a una conducta concreta. Al igual que los refuerzos, estos también pueden ser positivos o negativos, aludiendo estos «apellidos» a la forma de obtención de ese estímulo negativo (castigo).

El castigo positivo sería el que se obtiene directamente por una conducta concreta. Por ejemplo, esto ocurre cuando a un delincuente se le castiga con una pena de prisión.

Por otra parte, el castigo negativo se obtendría por la eliminación de algo positivo o privilegio que el sujeto ya está experimentando. Un ejemplo de esto sería cuando un recluso, ante un comportamiento no permitido en prisión, pierde el dinero para utilizar en el economato. Si todos los refuerzos son consecuencias positivas, independientemente del «apellido» positivo o negativo, los castigos son consecuencias desagradables, independientemente de esos mismos apellidos.

Los refuerzos y los castigos son la clave para comprender el proceso de Condicionamiento Operante, que también forma parte de los estudios conductistas y que explica muchas conductas, tanto de la Criminología como en general. Este modelo de aprendizaje conductual fue descrito por Skinner y consiste en lo siguiente: toda conducta que se produce ante un determinado estímulo desencadenante (estímulo discriminativo) tiende a aumentar si es reforzada y a desaparecer si es castigada o ignorada. Todo esto se puede aplicar también a los refuerzos negativos y a los castigos negativos.

Así, ante la posibilidad de robar un artículo que no se encuentra vigilado en una tienda (estímulo discriminativo), si se produce el robo (conducta), esta última (conducta de robo) tenderá a aumentar en el tiempo; es decir, se repetirá por el beneficio que obtiene el sujeto al ser ahora poseedor de ese artículo robado, sin haber tenido que comprarlo (refuerzo positivo). Pero esa conducta tenderá a desaparecer si es castigada (por ejemplo, con una sanción tras la captura del delincuente).

Al igual que por medio del Condicionamiento Operante, también se puede aprender por medio de otro proceso denominado Condicionamiento Clásico, que fue descrito por Pavlov en su famoso experimento del perro de Pavlov.

Este teórico describió un modelo de respuesta fisiológica aprendida por asociación de estímulos. De esta manera, se exponía a un perro a comida ante la cual el animal salivaba como respuesta fisiológica no controlada por él mismo. La comida se denominó estímulo incondicionado, y la respuesta de salivación se designó como respuesta incondicionada.

En ese momento se comenzó a hacer sonar una campana, justo antes de la presentación de la comida, por lo que el perro dejó de salivar ante la comida y lo comenzó a hacer al escuchar el sonido de la campana anticipadamente (ya que había asociado ese sonido a la presencia de comida y fisiológicamente respondía igual que lo hacía con anterioridad, ante su presencia únicamente). Al sonido de la campana se le denominó estímulo condicionado, y, a la respuesta de salivación ante este, respuesta condicionada. Es decir, podemos aprender respuestas fisiológicas por asociación.

Figura 3. Condicionamiento Clásico descrito por Iván Pavlov. Fuente: psicologiaen.wordpress.com

2. LA TEORÍA DE EYSENCK

Hans Eysenck fue un biólogo alemán, ganador del premio Nobel que, desde una postura biológico-psicológica, describió su Teoría de la Personalidad, que se ha utilizado para explicar al delincuente en Criminología. La parte psicologicista de su teoría es de base conductista; es decir, tiene en cuenta todos los conceptos de condicionamiento, refuerzo y castigo (que se han explicado con anterioridad). Esta Teoría de la Personalidad es una Teoría de Rasgos de Personalidad.

Eysenck defiende que todos los problemas que puede presentar la personalidad de un sujeto se caracterizan por un componente innato y heredado. En cuanto a la conducta delictiva, se destacan dos elementos: por una parte, la conciencia moral, y, por otra, las diferencias individuales o rasgos de personalidad de los sujetos, ambos imprescindibles en la explicación del comportamiento criminal.

En cuanto a la conciencia moral en los niños, esta se adquiere gracias a un proceso de Condicionamiento Clásico en el que las conductas antisociales se asocian a estímulos aversivos que los educadores enseñan en la infancia y que son comunes en las prácticas educativas que reciben todos los menores. Estos serán castigos y reprimendas que provocan respuestas fisiológicas de miedo, ansiedad, dolor ante ciertas conductas antisociales, etc.

Por otra parte, en el desarrollo de la conciencia moral, también influye la recompensa que el niño recibe. Al no llevar a cabo este un acto no deseable socialmente, se produciría la evitación de esas respuestas fisiológicas de miedo, ansiedad, dolor, etc. (respuestas condicionadas). Todo esto sería un proceso de refuerzo negativo en un proceso de Condicionamiento Operante.

En cuanto a las diferencias o rasgos de personalidad individuales, estos serían los que marcarían la diferencia entre los individuos a la hora de comportarse de manera prosocial o antisocial, ya que estos determinarían la capacidad y la rapidez para el condicionamiento anteriormente descrito y, por lo tanto, para el hecho de aprender más lentamente a inhibir las conductas antisociales.

Es decir, al retrasarse la adquisición del Condicionamiento Operante, el refuerzo negativo también tardaría en surgir efecto, por lo que el individuo que experimentase esas dos condiciones tendría más probabilidades de convertirse en un sujeto delincuente. Estas diferencias individuales vendrían dadas por tres rasgos de personalidad: la Extraversión, el Neuroticismo y el Psicoticismo, todos ellos de base biológica.

Extraversión

La Extraversión estaría regulada por el Sistema Nervioso Central y, en concreto, por una activación cortical disminuida o un bajo arousal cortical. El sujeto que presenta un elevado nivel de Extraversión presentaría una mayor resistencia a ser condicionado en contra de las conductas antisociales. Relacionado con esto, se encontraría el hecho de que estos individuos también presentarían una gran tendencia a la búsqueda de sensaciones y a la tolerancia al castigo. Además, los individuos extravertidos serían muy activos e impulsivos.

Por lo tanto, los delincuentes, y sobre todo los delincuentes juveniles, con tendencia a la búsqueda de sensaciones y situaciones altamente estimulantes presentarían un alto grado de Extraversión.

Neuroticismo

La segunda dimensión de personalidad señalada por Eysenck fue el Neuroticismo, el cual vendría regulado por el Sistema Nervioso Autónomo.

Los sujetos con un elevado Neuroticismo presentarían problemas para que la rama simpática o activadora del Sistema Nervioso Autónomo pueda ser controlada por la rama parasimpática o restauradora. Esto se traduciría en que los individuos con un elevado Neuroticismo serían inquietos y presentarían una serie de problemas emocionales que provocarían respuestas intensas durante un largo período ante situaciones de estrés. Esto impediría el proceso de condicionamiento necesario para el desarrollo de la conducta moral y la evitación de conductas antisociales.

Psicoticismo

La tercera dimensión o rasgo de personalidad descrito por Eysenck es el Psicoticismo.

Este se incluyó en la Teoría de la Personalidad de Eysenck con posterioridad a la inclusión de la Extraversión y el Neuroticismo. Su relación orgánica es con el metabolismo de la serotonina, neurotransmisor que se ocupa de regular, entre otras cosas, la ira y la agresividad. Si la serotonina no funciona correctamente se dará un elevado Psicoticismo, resultando en una personalidad cruel, violenta, insensible, carente de emociones auténticas y tendente a la toma de riesgos.

Finalmente se debe señalar que Eysenck defiende fervientemente la educación y el sistema pedagógico-educativo como mecanismo de prevención de la delincuencia. Esto se pude intuir de los postulados de este autor sobre el proceso que se halla detrás del desarrollo de la conciencia moral de los niños.

3. LA TEORÍA DE TRASLER Y JEFFERY

Basadas en las proposiciones conductistas sobre el condicionamiento, el refuerzo y el castigo, han surgido muchas otras teorías explicativas de la criminalidad y, sobre todo, de la personalidad del delincuente. Entre ellas destacan las Teorías de Trasler y Jeffery, que se mostrarán a continuación.

3.1. La teoría de Trasler

La Teoría de Trasler se inscribe dentro de las corrientes que conciben la conducta, tanto prosocial como antisocial, como un fenómeno fundamentalmente aprendido, siguiendo la estela de los postulados de Hans Eysenck sobre la personalidad y el aprendizaje por condicionamiento. Trasler defiende que la moralidad y la inhibición de las conductas transgresoras se adquieren a través de procesos de condicionamiento clásico y operante. En esencia, el proceso consiste en la asociación del acto antisocial (la respuesta) con una consecuencia negativa (el castigo o la desaprobación), creando así una respuesta de ansiedad que inhibe la comisión futura del delito.

Desde esta perspectiva, la conducta delictiva no es tanto un rasgo innato, sino el resultado directo del fracaso en este proceso de condicionamiento. Trasler identifica tres causas principales que explican por qué un individuo no logra aprender a no delinquir, lo que se traduce en una escasa capacidad de respuesta a las enseñanzas sociales y morales.

En primer lugar, la causa puede residir en la inadecuación de las técnicas de entrenamiento o enseñanza utilizadas por los padres o agentes socializadores. Si las técnicas de disciplina o las respuestas al comportamiento infantil son inconsistentes, demasiado tardías o inapropiadamente severas, el proceso de condicionamiento se vuelve ineficaz, y el niño no logra asociar el acto negativo con la consecuencia desagradable. En segundo lugar, el propio sujeto podría presentar una condicionabilidad deficiente, una característica biológica o temperamental que implica que su sistema nervioso no reacciona con la suficiente intensidad o rapidez a los estímulos de castigo o refuerzo. Esto lo conecta directamente con la dimensión de la extraversión de Eysenck, ya que se considera que los extravertidos son menos susceptibles al condicionamiento. Finalmente, la ineficacia del aprendizaje puede deberse a la interferencia de factores externos que perturban la claridad y la eficacia del condicionamiento, como las relaciones familiares inestables o la exposición a modelos antisociales.

Para concluir, Trasler subraya la gran importancia de las variables sociales, ya que son la fuente principal de los estímulos de condicionamiento. Son los otros (padres, maestros, grupo de pares) quienes administran las consecuencias, enseñan las normas y, por ende, condicionan al sujeto en sus etapas tempranas. Así, el entorno social determina la efectividad del proceso de aprendizaje que distingue la conducta prosocial de la antisocial.

3.2. La teoría de Jeffery

La Teoría de Jeffery se basa en la Psicología Ambiental (añadiendo, así, el componente sociológico) y en la Psicología de Aprendizaje de base conductista (en la que se tiene en cuenta el proceso de Condicionamiento Operante). Además, para su propuesta teórica, Jeffrey también tiene en cuenta la biología, destacando el código genético y la estructura bioquímica y neuronal del cerebro.

Así, se puede resumir que la Teoría de Jeffery defiende la interacción entre lo biológico y el ambiente en cuanto a que la conducta criminal es aprendida y se aprende en base a esta interacción. Además, este proceso de aprendizaje obedece a los postulados conductistas del Condicionamiento Operante.

Las concepciones de este autor presentan dos tipos de implicaciones. Una de tipo preventivo y otra en cuanto al tratamiento del sujeto infractor. Así, Jeffery concibe la prevención del delito como algo opuesto al endurecimiento de las penas y el aumento del control social, ya que esto no disminuiría la delincuencia, sino que simplemente incrementaría el número de reclusos en las prisiones.

Jeffery propone, por lo tanto, la eliminación de los refuerzos positivos al delito, ya que entiende que este se aprende por medio de un proceso de Condicionamiento Operante. A su vez, y para contrarrestar esta medida de neutralización del aprendizaje del delito, se deberían reforzar las conductas contrarias: es decir, se deben propiciar situaciones de empleo y oportunidades legítimas que reciban su correspondiente refuerzo por la participación en estas actividades.

La parte sociológica de la Teoría de Jeffery viene dada del hecho de que ciertos ambientes y espacios físicos propician la delincuencia, por lo que el diseño arquitectónico también debe tenerse en cuenta para la prevención del fenómeno delincuencial.

En cuanto al tratamiento del delincuente, Jeffery propone medidas propugnando el control del ambiente físico y la modificación de los elementos biológicos intervinientes en los procesos de aprendizaje. Esto es, la ingeniería genética, la intervención en el equilibrio de la bioquímica cerebral con fármacos, la estimulación, etc.

Por otra parte, la intervención con el delincuente también tendrá en cuenta el uso de contingencias (que es como se denomina a la administración de refuerzos y castigos en los procesos de aprendizaje). Finalmente, se debe destacar que Jeffery defiende que todas estas medidas deben llevarse a cabo en un ambiente natural, lo que significa que deben dejarse de lado las intervenciones dentro de prisión.

4. INTRODUCCIÓN A LOS MODELOS SOCIO-CONDUCTUALES

En estrecha relación con las posturas conductistas que se han mostrado hasta el momento, se encuentra la aplicación de estas al Modelo del Aprendizaje Social. Es decir, se trataría de modelos socio-conductuales que defienden que el comportamiento delictivo es aprendido en interacción social con otras personas y en determinadas situaciones. En la base de este aprendizaje se encontrarían no solamente los postulados conductuales ya señalados, sino también las leyes de la imitación.

En este tipo de teorías los factores biológicos y psicológicos pueden predisponer al delito, pero la criminalidad se verá últimamente determinada por el ambiente social del sujeto.

A continuación, se describe la Teoría de Albert Bandura, que quizá sea la más famosa de todas las teorías socioculturales.

4.1. Teoría del Aprendizaje Social de Bandura

Desde la perspectiva del aprendizaje social, Bandura explica que la delincuencia se aprende de forma imitativa. Es decir, observando y procesando los comportamientos de otros a los que se observa y se utiliza como modelo (los modelos pueden ser reales o simbólicos).

Este proceso se aprendizaje se produce en tres momentos:

1. Se debe producir el aprendizaje vicario (observacional) de otro u otros sujetos a los que se observa llevando a cabo conductas delictivas. También puede darse un proceso de Condicionamiento Operante por el que se da un refuerzo directo y positivo a la conducta agresiva criminal aprendida.
2. Deben darse las condiciones necesarias para reproducir el comportamiento delictivo aprendido en el primer momento. Estas serían varias: las experiencias aversivas, ya que están provocan una respuesta agresiva; los móviles de incentivo, es decir, que se den conductas violentas a causa de los refuerzos que se espera obtener de ellas; también por el control por instrucciones, que haría referencia a esos momentos en los que otros proponen llevar a cabo un delito; y, por último, el control ambiental, que significa que existen delitos que se asocian a ciertos ambientes próximos en los que se desenvuelve el sujeto.
3. La conducta delictiva debe mantenerse. Esto ocurre por medio del reforzamiento. Este reforzamiento puede ser directo y externo (es decir, físico y palpable) o vicario y observacional (al observar en otros las gratificaciones reforzantes que se obtienen por las conductas delictivas). También se puede dar un autorefuerzo: es decir, un refuerzo que el sujeto se administra a sí mismo e internamente al sentirse satisfecho con la conducta delictiva. Y, por último, puede tratarse de una neutralización del castigo: es decir, el individuo justifica su comportamiento delictivo a través de ciertos pensamientos. Así, también se evitan las emociones de ansiedad y culpabilidad que podrían provocarse a causa de los actos llevados a cabo.

4.2. Teoría del Aprendizaje Social de la conducta delictiva de Akers

Mientras que la Teoría de Bandura se creó para todo tipo de conducta, Akers formuló una teoría específica de la criminalidad, denominada Teoría del Aprendizaje Social de la Conducta

Delictiva. Esta teoría fue formulada por Burguess y Akers en un principio, y desarrollada en profundidad por este último con posterioridad. Akers explica que para que se dé el aprendizaje de la conducta delictiva se tienen que dar cuatro factores.

Primero, se debe producir un proceso de asociación diferencial: es decir, un proceso de relación del sujeto con definiciones y actitudes favorables a la delincuencia. Esta asociación diferencial puede darse en grupos primarios (familia y amigos) o en grupos secundarios (vecinos, profesores, personajes de los medios de comunicación).

El segundo elemento lo conforma una serie de racionalizaciones morales concretas que Akers denomina definiciones, y que deciden si ciertos comportamientos son adecuados o inadecuados. Estas definiciones pueden ser generales o específicas. Las primeras, las generales, suelen ser creencias religiosas, códigos morales, valores, etc., que suelen ser opuestas a las conductas delictivas. Las segundas, las específicas, son las que presentan un mayor impacto en los sujetos.

Estas definiciones serían las que orientarían conductas concretas como las delictivas. Es decir, se puede creer que es inadecuado emplear la violencia para la resolución de conflictos (definición general), pero, a su vez, creer que en temas familiares los asuntos deben ser privados y se puede corregir a los hijos de manera violenta (definición específica).

Las definiciones pueden influir de dos maneras sobre la conducta: de manera cognitiva o de manera conductual. Así, si las definiciones influyen de manera cognitiva, lo harían a través de ciertos valores, y, las que lo hacen conductualmente, lo harían provocando conductas ilegales.

Por otra parte, estas definiciones se adquieren por procesos de imitación. Es decir, estas definiciones se aprenden de lo que el sujeto escucha y observa en su ambiente próximo (familia, amigos, profesores, etc.) y lejano (sociedad, medios de comunicación, etc.). Además, estas definiciones pueden ser intensas o no tan intensas. Las primeras serían las que se encontrarían muy interiorizadas, y las segundas las que solamente tolerarían ciertas conductas delictivas.

El tercer elemento que se debe producir en este proceso de Aprendizaje Social de la Conducta Delictiva es el reforzamiento diferencial. En este momento se produce una valoración entre los refuerzos y los castigos que siguen a una conducta delictiva.

Los refuerzos y los castigos pueden ser no sociales: es decir, los que provienen de estimulaciones físicas. Pero también pueden ser producto de características individuales: es decir, que el propio acto delictivo suponga un refuerzo por los rasgos de personalidad propios del sujeto, como la impulsividad o la búsqueda de sensaciones. Los refuerzos y los castigos también pueden ser producto de un intercambio social, siendo estos los denominados refuerzos sociales, que suponen una aprobación o una alabanza por parte de aquellos sujetos significativos para el individuo, o todo lo contrario. Finalmente, el refuerzo también puede ser un autoreforzamiento, del estilo del descrito por Bandura.

Por último, debe señalarse la imitación, que es la repetición de una conducta delictiva tras su observación. La imitación depende de las características del modelo (con el cual se debe presentar una identificación), de las características de la propia conducta (que deben verse como útiles y sencillas) y de las consecuencias observadas en el modelo a imitar de la conducta delictiva (estas deben ser positivas).

Los modelos que solemos imitar suelen pertenecer al grupo social próximo de familia y amigos, aunque también se pueden elegir personajes pertenecientes a los medios de comunicación. Se debe destacar que los modelos pueden influir tanto en la imitación de conductas prosociales como delictivas.

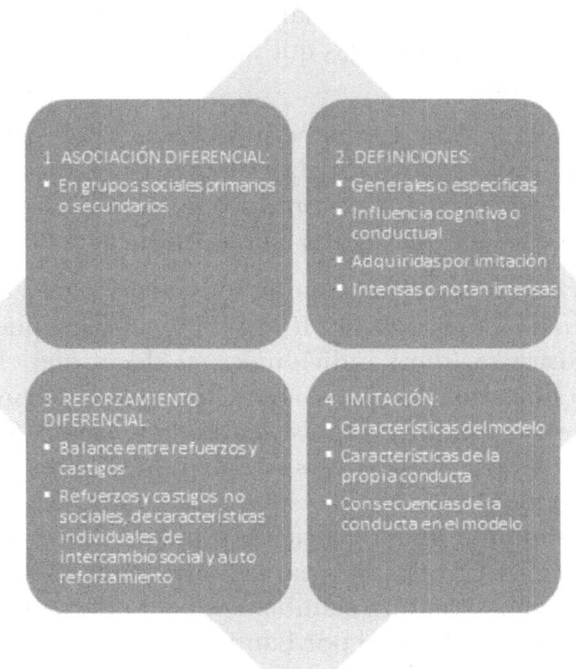

Figura 4. Elementos del Aprendizaje Social de la Conducta Delictiva de la Teoría de Akers.

Una vez determinados estos cuatro elementos para tener en cuenta en el proceso de adquisición de la conducta delictiva, se debe explicar cómo esta se lleva a cabo. Así, Akers, explica dos momentos.

El primero es el momento de aprendizaje inicial. Este se produce como consecuencia del balance llevado a cabo entre las definiciones del sujeto, la imitación de modelos y la anticipación de refuerzos y castigos. El segundo momento fue denominado por Akers como repetición de la conducta. Esto dependerá de los reforzadores y los castigos obtenidos por el sujeto cuando delinque.

Un ejemplo de todo el proceso explicado por Akers sería el de un joven que imita a su hermano mayor, al cual admira. Este formaría parte del grupo social primario del joven. Influido por su hermano, y por el grupo de pares de este, el joven presentará definiciones específicas, intensas y muy interiorizadas al consumo y venta de sustancias. Además, el joven observará toda una serie de refuerzos sociales hacia su hermano mayor entre su grupo de iguales, junto a autorefuerzos por parte de este último. Finalmente, el modelo del joven (es decir, su hermano mayor) resultará atractivo y significativo para él en su consumo y venta de drogas, algo que también le resultará atractivo y sencillo y de lo que anticipará y observará momentos divertidos y de una gran disposición de dinero.

Una vez asentados los cuatro elementos necesarios para que el joven decida llevar a cabo la imitación, este decidirá hacerlo. Los refuerzos de dinero y excitación física producto de la venta y consumo de drogas propiciarán una repetición y un mantenimiento de la conducta delictiva y desviada.

4.3. La Teoría de Feldman

La Teoría de Feldman sigue los postulados de Bandura y Akers, pero también integra planteamientos biologicistas en cuanto al hecho de que los individuos presentan una serie de predisposiciones individuales al delito, siendo estas las descritas por Eysenck. A su vez, también integra las propuestas de la Teoría del Etiquetamiento (esta se verá con posterioridad).

Feldman explica en su teoría la adquisición, realización y mantenimiento de la conducta delictiva. Así, la adquisición y realización del comportamiento criminal se explica en base a los procesos de aprendizaje descritos por Bandura y Eysenck. De esta manera, el sujeto aprende normas y controles internos que llevan al sujeto a no delinquir al asociar consecuencias positivas con la no delincuencia.

De la misma manera, se aprenden las conductas antisociales por refuerzo directo positivo, por los modelos de exposición a los que se enfrenta el sujeto y por aquellos modelos importantes para él. No se pueden olvidar tampoco las oportunidades delictivas, que Feldman resalta y que hoy en día son un elemento presente en numerosas Teorías Criminológicas.

Algo que también influye en la adquisición del comportamiento delictivo son los rasgos de personalidad descritos por Eysenck, los cuales median en el proceso de aprendizaje de las conductas infractoras.

Por otra parte, el mantenimiento de la conducta delictiva se debe al predominio de los resultados positivos reforzantes obtenidos por encima de los resultados a modo de castigo. Pero también se explica por el etiquetamiento. Este hecho implica que el joven delincuente, al ser etiquetado como tal por el sistema de justicia, y posteriormente por la sociedad, interiorizará esa etiqueta y se comportará como tal.

En definitiva, la Teoría de Feldman explicaría a una persona con una predisposición biológica al delito, una historia específica de aprendizaje social de conductas desviadas que llevaría al aprendizaje de conductas desviadas y a un mantenimiento por reforzamiento y etiquetamiento jurídico y social.

5. REFERENCIAS

Eysenck, H. J. (1992). La Rata o el Diván: *Conductismo frente a Psicoanálisis.* Madrid: Alianza Editorial.

Garrido, V., Stangeland, P. y Redondo, S. (2001). *Principios de Criminología.* Valencia: Tirant lo Blanch.

Patterson, G. (1982). *Coercive family process: A social learning approach.* Eugene (OR): Castalia.

Yates, A. J. (1979). *Teoría Práctica de la terapia de Conducta.* Ciudad de México: Trillas.

Capítulo III

Modelos psicologicistas: teorías factorialistas, la explicación de la delincuencia desde el desarrollo moral del modelo cognitivo y teoría gestáltica

1. LAS TEORÍAS FACTORIALISTAS Y LOS RASGOS DE PERSONALIDAD EN CRIMINOLOGÍA

Los modelos factorialistas en Criminología identifican ciertos rasgos o factores de personalidad que se asocian con la conducta delictiva. Estos enfoques, de corte psicologicista, son comunes en la Psicología, donde el estudio de la personalidad desempeña un papel fundamental. De hecho, muchas pruebas clínicas de evaluación de la personalidad se basan en estos rasgos individuales.

Ejemplo de ello es el test de personalidad 16 PF de Cattell y el cuestionario de personalidad MMPI de Millon, ambos ampliamente utilizados en el ámbito criminológico para evaluar la personalidad de los delincuentes.

Los modelos factorialistas consideran dimensiones o rasgos de personalidad que son transituacionales y autónomos, es decir, que no dependen de la situación concreta del individuo ni de su entorno inmediato. Dichos rasgos, denominados patológicos o factores individuales de la delincuencia, permiten explicar ciertos patrones de comportamiento delictivo.

Estos modelos también han resultado útiles en el diseño de programas de intervención con delincuentes y en la evaluación del riesgo delictivo, considerando los rasgos de personalidad como elementos clave.

1.1. Rasgos de Personalidad Relacionados con la Criminalidad

Antes de analizar los rasgos de personalidad específicos, es importante diferenciar entre aquellos de carácter estático y los de carácter dinámico. Los primeros no son modificables, mientras que los segundos pueden cambiar a lo largo del tiempo.

1.1.1. Rasgos de Personalidad Estáticos

Edad y Delincuencia

La edad es un factor determinante en la criminología, dando lugar a numerosos estudios sobre las trayectorias delictivas. Se ha observado que el pico de actividad delictiva en los jóvenes ocurre entre los 14 y los 17 años. Aquellos que comienzan su actividad criminal antes de la adolescencia suelen presentar un peor pronóstico prosocial y mayor probabilidad de reincidencia en la adultez.

En contraste, los delitos de "Cuello Blanco" siguen un patrón distinto, dado que los infractores suelen iniciarse en la criminalidad en la adultez sin antecedentes delictivos previos.

Sexo y Delincuencia

Numerosas investigaciones han demostrado que los hombres cometen más delitos que las mujeres. Si bien existen excepciones, los estudios han explorado la influencia de factores biológicos, incluyendo anomalías cromosómicas en el par sexual, en la propensión delictiva. No obstante, este aspecto será abordado en profundidad en otras asignaturas.

1.1.2. Rasgos de Personalidad Patológicos

Ciertos rasgos de personalidad han sido identificados como predisponentes para la conducta delictiva:

- Egocentrismo: Sensación exagerada de grandiosidad e importancia personal, con una constante demanda de trato especial y una visión de que las normas aplican a los demás, pero no a sí mismos.
- Baja tolerancia a la frustración: Tendencia a experimentar ira cuando no se obtiene lo deseado, lo que indica una carencia de estrategias de afrontamiento ante la desilusión.
- Ausencia de empatía: Dificultad o incapacidad para ponerse en el lugar del otro y comprender sus emociones y pensamientos.
- Deficiencias en el Locus de Control: Predominio del locus de control externo, es decir, la tendencia a atribuir la responsabilidad de los acontecimientos vitales a factores externos, minimizando la responsabilidad personal.
- Búsqueda de sensaciones: Necesidad de experimentar emociones intensas, lo que puede llevar a conductas peligrosas y transgresoras.
- Ausencia de remordimiento: Falta de arrepentimiento por las propias acciones, junto con baja autoestima, insatisfacción con la vida, actitud oposicionista y deseo de dominación.
- Impulsividad y falta de autocontrol: Este es uno de los factores más asociados a la delincuencia, especialmente en jóvenes infractores.

Muchos de estos rasgos constituyen la base de diagnósticos psicológicos asociados con la delincuencia, como la psicopatía. La insensibilidad emocional, la ausencia de empatía y la falta de remordimientos son características clave del psicópata. Sin embargo, aunque un alto porcentaje de reclusos presentan este diagnóstico, la mayoría no son psicópatas. Existen, además, "psicópatas integrados" que operan en los límites de la legalidad sin necesariamente traspasarlos.

La Inteligencia y la Conducta Delictiva

La relación entre inteligencia y criminalidad ha generado un intenso debate. Desde los estudios de Lombroso, que vinculaban la baja inteligencia con la delincuencia, hasta investigaciones modernas, se ha intentado esclarecer este vínculo.

Estudios han demostrado que muchos reclusos tienen un Cociente Intelectual (CI) inferior a 100, lo que ha llevado a asociar la baja inteligencia con la delincuencia. No obstante, esta correlación ha sido cuestionada, ya que los delincuentes más inteligentes podrían evitar ser capturados.

Investigaciones con cuestionarios de autoinforme han buscado ser más precisas, aunque también han sido criticadas, pues los infractores más violentos suelen omitir información sobre sus crímenes.

Además, se ha identificado que la inteligencia elevada está relacionada con ciertos delitos, como los de "Cuello Blanco" y los cibernéticos, lo que refuerza la idea de que la inteligencia y la delincuencia mantienen una relación compleja y no concluyente.

Según Gardner, existen diferentes tipos de inteligencia, de los cuales la interpersonal y la intrapersonal son clave en la conducta delictiva. La primera permite comprender y responder adecuadamente a los demás, mientras que la segunda facilita el autoconocimiento y la regulación emocional. Deficiencias en estas áreas pueden traducirse en falta de empatía, dificultades en la toma de decisiones y conducta delictiva.

En los últimos años, el concepto de inteligencia emocional de Goleman ha cobrado relevancia. Esta inteligencia, encargada de la comprensión y regulación de las emociones propias y ajenas, juega un papel crucial en la adaptación social y la prevención de conductas antisociales.

Finalmente, la teoría de Henggeler establece que la baja inteligencia puede llevar a habilidades verbales deficientes, bajo rendimiento académico y dificultades en las relaciones interpersonales, lo que incrementa la probabilidad de conductas delictivas.

Hoy en día, el interés investigativo se ha desplazado del estudio del CI hacia habilidades cognitivas específicas como la resolución de problemas, la toma de decisiones y el autocontrol, factores determinantes en la prevención del comportamiento delictivo.

1.2. La explicación de la delincuencia desde el desarrollo moral del Modelo Cognitivo

El desarrollo moral es un factor más para tener en cuenta en cuanto a la consideración del delincuente. Este ha sido estudiado desde las Perspectivas Psicológicas Cognitivas (que se caracterizan por tener en cuenta los pensamientos como desencadenantes de toda una serie de conductas) y, más en concreto, desde el Constructivismo Cognitivo. Y es que, desde esta perspectiva, se estudia y se explica el proceso por el que los seres humanos interaccionan con el mundo, y adquieren habilidades cognitivas, desde el nacimiento hasta la edad adulta. El desarrollo moral se incluye dentro de estas habilidades cognitivas, siendo este de vital importancia para la comprensión del delincuente. A continuación, se muestran las teorías sobre su desarrollo por parte de dos de lo más importantes estudiosos del Desarrollo Cognitivo, a saber, Jean Piaget y Lawrence Kohlberg.

1.2.1. La Teoría del Desarrollo Moral de Piaget

Jean Piaget desarrolló toda una teoría cognitiva desde el nacimiento del bebé hasta la edad adulta, generando así toda una explicación sobre la Psicología Evolutiva de corte Constructivista-Cognitivo. Los niños atravesarían diferentes estadios en el desarrollo, aprendiendo, integrando e interiorizando las cogniciones, y por lo tanto con el mundo y los pensamientos y habilidades necesarias en él. El desarrollo moral también forma parte de este aprendizaje y también se produce en diferentes etapas.

Se debe señalar que Piaget entiende la moral como un conjunto de reglas que, tanto si se comprenden como si no, se obedecen y se vinculan al concepto de justicia. Poco a poco, y a partir de los estadios del desarrollo, la moralidad será cada vez más compleja.

Así, Piaget propone tres fases en el desarrollo moral, siendo estas las siguientes:

4. *Etapa Premoral o de Presión adulta*: esta etapa se corresponde con los niños de entre 2 y 6 años. En esta fase aparece el lenguaje y se identifican las propias intenciones. Las conductas se verían frenadas por las normas externas por parte de los adultos que representan la figura de autoridad para el niño. En realidad, en esta fase aún no existiría moralidad alguna en el menor.
5. *Etapa de Solidaridad entre iguales y realismo moral*: esta etapa discurre de los 5 o 6 años hasta los 10. En este momento las normas siguen siendo externas al menor, pero comienzan a ser comprendidas e interiorizadas. Además, las normas externas se conciben como de obligado cumplimiento, aceptándose el castigo consecuente a su desobediencia. En esta etapa comienzan a aparecer las ideas de justicia, respeto entre iguales y honestidad. Además, la mentira es inaceptable, al igual que las posibles explicaciones y justificaciones a la infracción de las normas. Es decir, solamente se tiene en cuenta el hecho acontecido en sí mismo. Con el tiempo se comenzará a considerar que las reglas no son algo impuesto, pero sí algo relevante sin la necesidad de una exigencia externa.
6. *Etapa de autonomía moral o relativismo moral*: finalmente, en la última etapa, que se da a partir de los 10 años, se produce la capacidad lógica de establecer relaciones entre las informaciones y fenómenos que vive el joven. Además, a partir de los 12 años, se comienza a desarrollar una comprensión de las situaciones y de la importancia de la intención en el quebrantamiento de las normas. Se da, además, una moral crítica, comprendiéndose que las normas se pueden interpretar

de diferentes maneras y que su cumplimiento dependerá de la voluntad y la situación concreta de los individuos. Finalmente, y por primera vez, se valora la proporcionalidad entre el incumplimiento de las normas y sus castigos, así como el componente de traición para valorar la gravedad de una mentira.

1.2.2. La Teoría del Desarrollo Mora de Kohlberg

Kohlberg fue discípulo de Piaget, pero desarrolló su propia teoría dividiendo el desarrollo moral en seis sub-fases que se unifican en tres etapas superiores. Este autor defiende que este (el desarrollo moral) se produce tras un proceso de maduración biológica, pero también por la interacción del sujeto con el ambiente.

Kohlberg plantea que el desarrollo moral ocurre en tres fases principales, cada una con sus propias características y etapas. Estas etapas reflejan la evolución del juicio moral desde una perspectiva egocéntrica hasta una basada en principios éticos universales.

1. *Fase Preconvencional (hasta los 9 años)*: En esta etapa, el niño juzga las situaciones en función de cómo le afectan directamente, sin considerar normas sociales o valores colectivos. Su razonamiento moral se basa en las consecuencias inmediatas de sus acciones, buscando evitar el castigo y obtener recompensas.

- Etapa de orientación y obediencia al castigo: El niño asocia el bien con la obediencia a la autoridad y el mal con el castigo. Si una persona es castigada, se asume que lo merece, sin cuestionar la justicia de la sanción.
- Etapa de interés propio: Comienza a surgir una comprensión primitiva de que las personas pueden tener distintos puntos de vista, aunque el egocentrismo sigue siendo predominante. En este nivel, las interacciones se rigen por la reciprocidad instrumental: los conflictos se resuelven según el beneficio propio, con un enfoque de "yo te ayudo si tú me ayudas".

Fase Convencional (adolescentes y muchos adultos): En este nivel, la moralidad deja de ser solo una cuestión de interés personal y comienza a estar influenciada por las normas sociales y la necesidad de aceptación dentro del grupo.

- Etapa de orientación hacia el consenso y la aprobación: Se valora el comportamiento que es aceptado por los demás y que encaja en la moral colectiva. El sujeto busca ser visto como "buena persona", y las intenciones empiezan a jugar un papel clave en la evaluación moral de las acciones.
- Etapa de orientación a la autoridad y el orden social: El bien y el mal se determinan según el cumplimiento de normas y leyes establecidas, sin cuestionar su legitimidad. El respeto a la autoridad y el mantenimiento del orden social son los principios centrales de esta etapa.

Fase Postconvencional (adultez avanzada, no alcanzada por todos): En esta última fase, el juicio moral se basa en principios éticos universales, que pueden incluso entrar en conflicto con las normas establecidas. Se reconoce que las leyes y normas sociales son creaciones humanas que pueden ser cuestionadas y modificadas en función de la justicia.

- Etapa de orientación hacia el contrato social: Se reflexiona sobre la relación entre las normas y las libertades individuales. Se reconoce que las leyes deben servir al bien común y pueden ser modificadas si resultan injustas.
- Etapa de orientación hacia principios universales: La moralidad se basa en valores éticos fundamentales, como la justicia, la igualdad y los derechos humanos. En este punto, las personas pueden considerar que una ley es injusta y actuar en consecuencia, guiadas por sus principios morales más profundos.

Kohlberg sostiene que es posible clasificar a los individuos, incluidos delincuentes y no delincuentes, según su nivel de desarrollo moral. Sus estudios mostraron que los no delincuentes tienden a encontrarse en etapas más avanzadas del desarrollo moral que aquellos que cometen delitos, lo que sugiere una relación entre el nivel de madurez moral y la probabilidad de involucrarse en conductas delictivas.

1.3. LA EXPLICACIÓN GESTÁLTICA DEL DELITO

La Psicología de la Gestalt fue una corriente psicológica que surgió en Alemania a principios del siglo XX de la mano de Wertheimer, cuyas investigaciones sobre la organización perceptiva y la organización del movimiento supusieron el inicio de este modelo psicológico. Con sus experimentos, este autor llegó a la conclusión de que «el todo es diferente de la suma de sus partes».

La Gestalt nació como un modelo que estudiaba la percepción que se produce a través de los sentidos y a la cual se le debe gran parte del conocimiento actual en este sentido. Pero, la Psicología de la Gestalt, trasladó los descubrimientos sobre la percepción sensorial a la percepción e interpretación de la experiencia y sus consecuencias emocionales, cognitivas y comportamentales, generando también todo un cuerpo terapéutico que aún se utiliza hoy en día.

Gestalt significa 'forma' o 'figura'. Si la percepción es algo más que la suma de sus partes, entonces, la Gestalt, propone un enfoque holístico. Es decir, los seres humanos no perciben estímulos de manera aislada, sino que los organizan mentalmente dándoles un significado. De esta manera, Perls, uno de los grandes teóricos de la Psicología de la Gestalt, defiende que el organismo es un todo unificado, oponiéndose también a la separación mente-cuerpo. Siguiendo este punto de partida, se critica igualmente la separación entre el self (uno mismo) y el mundo exterior. Es decir, los individuos no son independientes y solamente pueden existir en su contexto. De esta misma manera, los individuos no crean ambientes, ni los ambientes crea individuos, por lo que cada uno es lo que es por su relación con el otro. El ser humano busca la Gestalt, es decir, la forma, la integración entre el self y el ambiente.

Esta se produce por medio del límite o punto de contacto entre ambos, siendo este el momento en el que los eventos psicológicos tiene lugar. Este contacto involucra la propia conciencia de las sensaciones y la conducta motora.

De esta manera, el sistema sensorial proporciona orientación y el sistema motor los medios para su manejo. El manejo y la manipulación tiene lugar en el límite de contacto, al igual que todos los pensamientos, emociones y acciones.

Si contactar con el ambiente significa formar una Gestalt, la separación de este supone el rechazo del ambiente. Los organismos buscarán y lucharán por el equilibrio entre el organismo y su ambiente, a lo cual se denomina homeostasis desde este modelo psicológico. De esta manera, Perls explica que la vida es un número infinito de situaciones en las que se producen Gestalts incompletas, dándose el hecho de que, tan pronto como se completa una, emerge otra que debe ser cerrada. La Gestalt sería entonces una experiencia orgánica y una experiencia de unión del organismo con el ambiente. El self, entonces, integraría los sentidos, la coordinación motora y sus necesidades. Las emociones, según Perls, serían las experiencias evaluativas directas del contacto entre el organismo y el ambiente. Este último sería inmediato y se regularía a través de los pensamientos y las consideraciones verbales. Las emociones serían entonces un proceso continuo, ya que todas las instancias de la vida de las personas acarrean una emoción de agrado o desagrado. La excitación se modificaría en emociones específicas, de acuerdo con la situación que debe vivir el sujeto. Además, las emociones ponen en marcha los sistemas sensoriales y motores que deben ser satisfechos.

Las conductas agresivas, según Perls, serían actitudes necesarias para formar la Gesltalt. Es decir, las agresiones, en la experiencia de un individuo, serían necesarias en determinadas situaciones para lograr formar la «forma» y conseguir la homeostasis anteriormente señalada.

Pero otros teóricos de la Gestalt explican las agresiones, y las conductas delictivas en general, de otra manera. Así, se considera que la manera en la que el sujeto experimenta el mundo y lo percibe (en cuanto a su punto de contacto subjetivo entre el self y el ambiente), unido a su grado de desarrollo y a la evolución moral, explicaría la conducta delictiva.

Wertheimer, por ejemplo, explicaba que la percepción es un estado subjetivo, y a través de la cual se realiza una abstracción del mundo exterior o de los hechos más relevantes, que conllevaría una conducta concreta, pudiendo ser esta delictiva según esa interpretación.

En definitiva, la Psicología de la Gestalt, se basa en la interpretación. Además, ateniéndonos al hecho de que la percepción es algo más que la suma de sus partes, el crimen es una totalidad, aunque se encuentre formada por distintos componentes; no se podría descomponer en unidades de análisis como se defiende desde el Conductismo y el Psicoanálisis. Además, la Gestalt también discrepa del Conductismo en el hecho de que el delito no sería una respuesta a un estímulo.

1.4. REFERENCIAS BIBLIOGRÁFICAS

Garrido, V. (2000). El psicópata. Un camaleón en la sociedad actual. Alzira: Algar.

Garrido, V., Stangeland, P. y Redondo, S. (2001). Principios de Criminología. Valencia: Tirant lo Blanch.

Goldstein, E. B. (1994). Sensación y Percepción. Madrid: Debate.

Nelson-Jones, R. (2001). Counselling and Therapy. Londres: Continuum.

Piaget, J. (1964). Seis estudios de Psicología. Ginebra: Ariel.

Capítulo IV

La sociología criminal contemporánea, enfoques plurifactoriales y teorías integradoras

1. LA MODERNA SOCIOLOGÍA CRIMINAL

Las aproximaciones sociológicas a la explicación del crimen provienen de la moderna Sociología Criminal. Por una parte, se contemplan los factores del medio del sujeto como explicativos de la Criminología, pero también se considera que el delito es un fenómeno social. En algunos casos, incluso se considera que el crimen es algo normal en las sociedades actuales.

La moderna Sociología Criminal presenta una doble vertiente: es decir, la europea, con Durkheim como su principal representante, y la norteamericana, con la Escuela de Chicago como máximo exponente. Ambas se estudiarán en temas posteriores de esta asignatura.

Además, se debe señalar que, en la Sociología Criminal, concurren diferentes perspectivas de muy diversa índole que incluyen, incluso, paradigmas y bases sociológicas de diferente calado y enfoque.

Parece coherente pensar que los postulados sociológicos se oponen totalmente a los postulados biologicistas que dominaron el comienzo de la Criminología Positivista con Lombroso y Garófalo. Y es que, si la explicación del delito se encuentra en las características microsociológicas y macrosociológicas, los factores biológicos innatos no existirían para este tipo de teorías.

Es más, la base conceptual de la Sociología Criminal (y también de la Psicología) defendería con el tiempo que el ser humano nace como una hoja en blanco, que se va formando por la influencia del ambiente del sujeto tanto en sus vertientes más próximas (familias, amigos, centro educativo, zona de residencia, etc.) como en las más lejanas (medios de comunicación, momento histórico-cultural, etc.). Hoy en día la idea de la hoja en blanco se ha superado y se considera, como se verá más adelante, que el individuo es una interacción de factores de diverso tipo.

Como se observará a continuación, antes de llegar a esta concepción de tabula rasa (metáfora que, al igual que la de la hoja en blanco, defiende que somos únicamente la influencia del ambiente) en el nacimiento, se tuvieron en cuenta otros factores, además de los sociológicos, para explicar el comportamiento humano.

1.1. Primeras Teorías Sociológicas

A continuación, se presentan los primeros acercamientos sociológicos a la explicación del delito, que constituirían los cimientos a las Teorías Criminológicas de corte sociológico más importantes de la historia de la Criminología.

Se debe destacar que, como se mostrará a continuación, las primeras teorías sociológico-criminales se encuentran situadas entre los postulados de la Escuela Clásica y el Modelo positivista. También se debe destacar que estos primeros pasos dentro de la Sociología Criminal no fueron puramente sociológicos, sino que se tuvieron en cuenta otro tipo de factores explicativos del fenómeno delincuencial. Lo que ocurrió es que lo sociológico comenzó a tener un determinado peso específico en la explicación del acto criminal, muchas veces por encima del resto de tipos de factores.

Así, las siguientes teorías se pueden considerar tanto antecedentes provenientes de la Sociología Criminal y de las Teorías Criminológicas de corte social como las primeras teorías de este tipo, con un acercamiento aún mixto que tiene en cuenta otro tipo de variables en comparación con las que se tenían en cuenta hasta ese momento.

1.1.1. El enfoque sociológico de Ferri

Enrico Ferri fue un ilustre abogado y político, que se considera el padre de la moderna Sociología Criminal. Ferrri, fiel defensor del positivismo y admirador de Lombroso, rebatió la tesis del libre albedrío y generó toda una teoría criminológica. Para Ferri el delito no es consecuencia alguna de ninguna patología individual, sino de elementos sociales, físicos e individuales.

Ferri definió las causas de la criminalidad como un compendio de factores antropológicos o individuales, que vendría definido tanto por las partes fisiológicas del individuo como por las psíquicas, así como por rasgos como la raza, la edad y el sexo. También intervendrían factores físicos como el clima y la temperatura, y, por último, elementos sociales como la familia, la religión la educación, la economía, la política, etc. Esto, para Ferri, implicaría que la delincuencia es un fenómeno sociológico como otros que se producen en la naturaleza, ya que, de todos estos factores, predominarían los sociológicos, siendo además los que se pueden moldear.

Ferri deduce de su teoría, y por influencia de su enorme respeto al positivismo, que se puede predecir el número de delitos y su tipo, siempre y cuando se pueda contar con la incidencia estadística de los factores físicos, antropológicos o individuales y sociales. Ferri denominó a esto Ley de la Saturación Criminal.

Además de esta Ley, Ferri desarrolla la Teoría de los Sustitutivos Penales, que en realidad es toda una propuesta de política criminal que pretende prescindir del Derecho Penal y fomentar la prevención delictiva. Y es que, ya que el delito se puede anticipar, los esfuerzos públicos deben llevar a cabo medidas preventivas que se anticipen al crimen, sobre todo en cuanto a los factores sociales, y los neutralicen.

De esta manera, la pena judicial sería ineficaz si no se acompaña de modificaciones sociológicas a modo de intervención. Esto se traduciría, según Ferri, en una Sociología Criminal Integrada.

Finalmente, se debe señalar que Ferri distingue seis tipos de delincuentes: el nato, el loco, el habitual, el ocasional, el pasional y el imprudente, aunque considera que, en un mismo delincuente, se pueden encontrar elementos de varias de estas tipologías.

1.1.2. La Escuela Clásica de Lyon

La Escuela de Lyon o Escuela Antroposocial o Criminal-sociológica fue otra de las primeras manifestaciones de la Sociología Criminal. Esta estuvo formada por médicos admiradores de Pasteur, que utilizaron la metáfora del microbio para explicar al delincuente. Es decir, el microbio sería el criminal que permanece en el anonimato, hasta que encuentra el caldo de cultivo que provoca su brote.

Destacan varios autores dentro de la Escuela de Lyon, pero sobre todo Lacassagne, el cual defiende que la sociedad tiene los delincuentes que se merece.

Lacassange distingue dos tipos de factores explicativos de la delincuencia: por una parte, las características predisponentes, y, por otra, las determinantes. Las primeras, las predisponentes, estarían formadas por factores de tipo somático (es decir, fisiológicos), y las segundas, las determinantes, por características sociales tales como la educación y la influencia del ambiente.

Lacassange defiende la idea de que el delincuente presenta una serie de anomalías físicas y psicológicas que provienen del efecto del medio social sobre los sujetos. Estas anomalías pueden hallarse también en no delincuentes. Lo que diferenciaría a estos últimos de los infractores serían las características del medio social que determinaría finalmente que el sujeto delincuente se convierta en tal, tras presentar esas anomalías.

Estos factores sociales determinantes serían la pobreza y las condiciones socioeconómicas del entorno social lejano del ambiente en general.

Lacassange, sin dejar de lado la estructura cerebral, distingue tres funciones cognitivas (intelectivas, afectivas y volitivas) localizadas en el lóbulo frontal, el occipital y parietal. Dependiendo de la supremacía de unas zonas sobre otras se dará un tipo de criminalidad u otra.

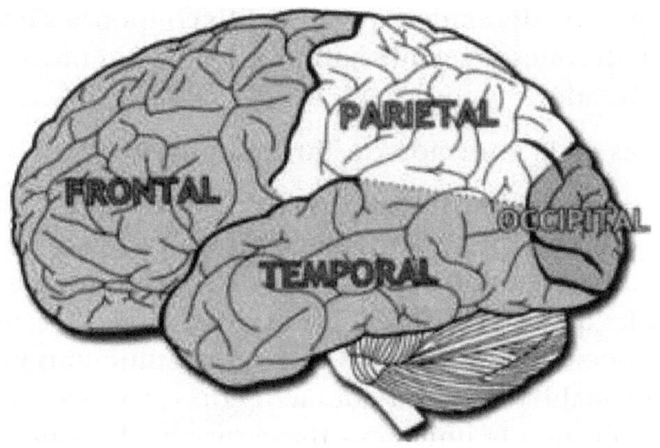

Figura 2. Lóbulos del cerebro teniendo en cuenta el perfil del sujeto. Fuente: https://lamenteesmaravillosa.com/lobulos-cerebrales-caracteristicas-y-funciones/

1.1.3. La Teoría de Tarde

Para Gabriel Tarde la criminalidad se desarrolla a partir de tres tipos de factores: biológicos, físicos y sociales, siendo la sociedad con sus valores la que influiría fuertemente en el comportamiento criminal. Aun así, y aunque este autor se decanta por otorgar a los factores sociológicos la mayor importancia en relación con aquellos otros tipos que también influirían en el comportamiento delictivo, evita un determinismo sociológico, ya que también concede un peso considerable a la decisión del hombre (libre albedrío).

A Tarde se le considera un precursor de las Teorías Sociológicas del Aprendizaje Criminal (algunas vistas en el tema «Modelos psicologicistas: Teorías del Aprendizaje, Teorías del Aprendizaje Social y Teoría de Feldman»), ya que defendió que el delincuente debe formarse como tal y aprender al igual que los profesionales de otros trabajos.

Siguiendo esta idea, Tarde formula las denominadas Leyes de la imitación, que defienden que el delito comienza siendo moda, para pasar después a ser un hábito. El delincuente sería por lo tanto un imitador.

Las Leyes de la imitación de Tarde son tres:

- Los individuos se imitan unos a otros en función del grado de contacto que mantienen entre ellos. Esta imitación se da con mayor frecuencia en las ciudades, en comparación con lo que ocurriría en los grupos rurales, ya que habría más personas en las áreas urbanas y aumentarían entonces las probabilidades del contacto con otros. Esto propiciaría también que la imitación fuese rápida (la época de Tarde, en el siglo XIX, se caracterizaba por ciudades con una gran inmigración, cambio y grupos delictivos). La copia delictiva comenzaría siendo una moda, para consolidarse después como hábito.
- La imitación se produce de abajo hacia arriba: es decir, los delitos de los más ricos y poderosos se comenzaron a imitar después por las clases menos favorecidas. De la misma manera, los habitantes de las zonas rurales comenzaron a imitar a los infractores de las ciudades.
- Las nuevas modas delictivas irán sustituyendo a los antiguos delitos.

En cuanto a las penas, Tarde defiende la pena de muerte, ya que, al considerar el libre albedrío como un elemento imprescindible en el comportamiento criminal, esta puede actuar como preventivo de la delincuencia por su efecto disuasorio. Además, Tarde defendió la profesionalización del jurado que emite una pena ante un delito, posicionándose así en contra del jurado popular.

1.1.4. La Tercera Escuela

La Tercera Escuela fue una corriente teórica italiana que se ocupó del Derecho Penal y la Criminología, intentando mediar entre las posturas de la Escuela Clásica y la Positivista. Así, los teóricos de la Tercera Escuela distinguen el Derecho Penal de la Criminología, sobre todo en cuanto a su metodología. Es decir, la Criminología debe basarse en un método empírico que explique la causa del delito, y el Derecho penal debe ser lógico-abstracto.

Por otra parte, esta Escuela considera que en el acto criminal intervienen factores externos al individuo o internos, aunque, finalmente, el delito sería un fenómeno social en cuanto a su naturaleza.

Además, esta Escuela defiende el uso de las penas y de las medidas de seguridad. Aun así, la pena nunca puede obedecer a un interés vengativo. Esta Escuela también defiende el concepto de responsabilidad moral, al igual que el de peligrosidad y

«temibilidad», dentro del Derecho Penal. La finalidad de la pena será, además del castigo, la retribución, la educación y la reinserción. De esta manera, la naturaleza de la pena se basaría en la coacción psicológica para la rehabilitación, poniéndose el énfasis en la causa del delito.

Por último, se debe destacar que la Tercera Escuela no admite ni el determinismo (del tipo que sea) ni el libre albedrio, sino que, precisamente por esa vocación mediadora entre la Escuela Clásica y el Modelo Positivista, defiende un punto intermedio.

1.1.5. La Estadística Moral

a Estadística Moral constituye un hito crucial en la historia del pensamiento criminológico y sociológico, funcionando como un claro antecedente de la sociología positivista y, fundamentalmente, del empleo de métodos cuantitativos y estadísticos para analizar el fenómeno criminal, una práctica que perdura hasta hoy en día. Su auge se sitúa en la primera mitad del siglo XIX, principalmente en Francia y Bélgica, con figuras como Adolphe Quetelet y André-Michel Guerry.

El punto de partida de los autores de la Estadística Moral fue una premisa revolucionaria para su época: conceptualizaron el delito como un fenómeno colectivo y social, distanciándose de la visión puramente individualista y de libre albedrío de las escuelas clásicas. Al analizar las grandes series de datos judiciales, estos pensadores observaron que los crímenes se producían con una regularidad, constancia y normalidad asombrosas en el tiempo y el espacio. Para ellos, la comisión de un cierto número de delitos era tan previsible como el número de nacimientos o muertes en una población.

A partir de esta regularidad, postularon que el crimen era un fenómeno inevitable dentro de cualquier organización social. Si el delito persistía con tal constancia, no podía ser visto como una anomalía individual, sino como una consecuencia estructural de la propia sociedad. En este sentido, el crimen no era visto primariamente como el resultado de las decisiones morales del individuo, sino como un fenómeno social que se generaba y se distribuía de acuerdo con las leyes sociales.

Por esta razón fundamental, la Estadística Moral se preocupó principalmente por medir la frecuencia, la distribución y las correlaciones del crimen, estudiando su vinculación con variables sociodemográficas como la edad, el sexo, la profesión o el clima. La etiología, o la causa individual del delito, quedaba en un segundo plano. Al ser un fenómeno social y no individual, el crimen podía ser medido y analizado de manera cuantitativa, sentando las bases para que pensadores posteriores, como Émile Durkheim y los positivistas sociológicos, desarrollaran la idea del crimen como un hecho social normal y necesario.

2. ENFOQUES PLURIFACTORIALES

Los Enfoques Plurifactoriales o Multifactoriales se centraron sobre todo en el estudio de la delincuencia juvenil desde una metodología inductiva (la observación de ciertos hechos provoca el planteamiento de hipótesis, que después se tienen que testar con experimentos). Esta aproximación, que carece de un marco conceptual concreto, funciona utilizando todas las variables que aparecen en un fenómeno delincuencial y que servirían para explicarlo, sean estas de la índole que sean (físicas, psicológicas, sociológicas, biológicas, etc.). En este modelo también se tienen en cuenta todas las circunstancias y datos que se relacionen con el hecho delincuencial. A pesar de este eclecticismo, se considera que los Enfoques Plurifactoriales son de tipo sociológico, por primar este tipo de variables. Aun sí, se dan excepciones en algunos autores que priorizan las variables biológicas o individuales.

La investigación de tipo plurifactorial o multifactorial más importante llevada a cabo fue la del matrimonio Glueck en 1950. Este estudio se caracterizó por la complejidad y lo completo de esta, aunque pasó desapercibida durante muchos años. El matrimonio Glueck llevó a cabo una investigación longitudinal en la que, durante diez años, se estudiaron alrededor de 400 variables en un grupo de delincuentes y en un grupo de no delincuentes de las mismas características sociodemográficas. Se trataba de hacer uso de un equipo interdisciplinar de psicólogos, antropólogos, psiquiatras, etc., para evaluar todas esas variables en una muestra de 500 parejas de sujetos y así descubrir aquello que diferenciaba y, por lo tanto, caracterizaba a los delincuentes en comparación con los no delincuentes.

Esta importantísima investigación llegó a la conclusión de que las características que distinguían a los infractores de los no infractores eran: el estilo educativo por parte de la madre, la mayor o menor severidad en el patrón educativo y el clima de armonía familiar. Es decir, llegaron a la conclusión de que las variables familiares eran las que presentaban un mayor peso predictivo de la criminalidad.

Además del matrimonio Glueck, dentro de los Enfoques Plurifactoriales, destacan los trabajos de otros investigadores de gran impacto, como Healy, que destacó: los males hereditarios, las anomalías mentales, la constitución física, los problemas del estado de ánimo, el deficiente ambiente familiar, la relación con un grupo de pares conflictivos, la frustración de expectativas y las condiciones no favorables para el desarrollo infantil.

Por su parte, Burton, otro autor destacado de esta corriente, explicó 170 factores que predispondrían a la delincuencia juvenil. Otros autores destacados del Plurifactorialismo fueron Elliot y Merril, que defendieron como factores explicativos de la conducta desviada del niño una serie de problemas, que se pueden superar siempre y cuando se trate solamente de uno, o dos. Pero, en realidad, si se dan siete o más desventajas las probabilidades de delincuencia juvenil y adulta aumentan. Estos elementos serían, por ejemplo, la pérdida de un progenitor, la pobreza, la mala salud, el desempleo, la problemática de los padres, el abandono escolar, etc.

Los Enfoques Plurifactoriales destacan por señalar lo inadecuado de las explicaciones criminológicas monocausales, y también por las implicaciones que presentan de cara a políticas de tratamiento reinsertador. De todos modos, son muchas las críticas que ha recibido el Modelo Plurifactorial. Por ejemplo, el hecho de que estas aproximaciones acumulen factores predisponentes para la delincuencia, pero que no destaquen la importancia de unas sobre otras, ni su funcionamiento, ni mucho menos la relación entre esas características de riesgo entre sí mismas, ni con otros rasgos.

Todo esto lleva a concebir la delincuencia como una acumulación de factores predisponentes sin una base teórica explicativa (nótese que en ningún momento se habla de Teorías Plurifactoriales, sino de Enfoques, Modelos o Aproximaciones Plurifactoriales). Acumulación esta que, en muchas ocasiones, resulta inabordable de cara a acciones preventivas e intervencionistas concretas cuando se destaca la importancia de cientos de variables predisponentes.

En cuanto a la metodología de investigación, se ha criticado también el empirismo tan elevado, que en realidad se basa en estudiar factores que, por creencias populares, ya se relacionaban con la delincuencia con anterioridad.

Para finalizar este apartado, se debe señalar que los Enfoques Plurifactoriales se asemejan al Modelo de los Factores de Riesgo, que se encuentra altamente representado en la actualidad y que busca la utilidad de estos para el desarrollo de programas de prevención e intervención, por encima del valor teórico. Este modelo, el Enfoque de los Factores de Riesgo, tampoco presenta una base teórica, sino que se centra en señalar aquellos hechos que se relacionan con la mayor probabilidad de que alguien se convierta en delincuente. Se trata, en este caso, de predicciones probabilísticas, ya que la presencia de un factor de riesgo no va a determinar ineludiblemente que se dé delincuencia. Es decir, un factor de riesgo no significa causa de criminalidad.

Se ha criticado el Enfoque del Factor de Riesgo, al igual que ocurre con el Enfoque Plurifactorial, debido al hecho de que únicamente se indica el riesgo de delincuencia, sin especificar su causa. El Modelo de Los Factores de Riesgo ha desarrollado también un enfoque «opuesto» (algo que no se ha encontrado en los Modelos Plurifactoriales), que es el Rasgo de Protección (muchas veces señalado como el opuesto al de Riesgo). Estas serían circunstancias o elementos que, cuando se producen, también predicen una mayor probabilidad de que no se dé la delincuencia. Se debe señalar que, a pesar de que tanto el Modelo Plurifactorial como el del Factor de Riesgo no implican teoría criminológica alguna (y por tanto no explican la causa del delito), pueden ser complementarios a las verdaderas Teorías Criminológicas, ya que ayudan en la predicción y, por lo tanto, en la prevención y control del delito.

3. TEORÍAS INTEGRADORAS

Aunque en principio las Teorías Integradoras (que, en contraposición a los Modelos Plurifactoriales, sí son teorías) pudieran resultar parecidas a los enfoques anteriormente señalados, nada tienen que ver.

Las Teorías Integradas, que también se oponen a las Teorías Monocausales, toman concepciones de distintas disciplinas, variables de distintas teorías o directamente otras teorías, para formar una explicación criminológica nueva. Se debe tomar de cada teoría las partes que resulten más certeras y tratar de formar así una nueva.

Se han señalado diversas estrategias a la hora de integrar Teorías Integradas; estas se detallan a continuación.

Por una parte, y como señala Hirschi, se puede dividir cada teoría en diferentes componentes, de manera que cada uno puede formar parte de otra nueva. También se pueden dividir las teorías en cuanto a los distintos componentes que definen el delito y explicarlos por enfoques diferentes. Otra estrategia vendría dada por la ordenación temporal de las variables de cada teoría, siendo, así, la variable dependiente de cada una, la variable independiente de otra y montándose de esta manera una nueva Teoría Criminológica. De esta misma manera, y representando otra estrategia, se pueden elegir distintas variables dentro de una misma explicación, siendo cada una a la vez dependiente o independiente de otra.

Se debe señalar que algunos autores distinguen tres tipos de Teorías Integradoras, siendo estas las de los rasgos latentes, las de las etapas vitales y los Enfoques Plurifactoriales. Es decir, la distinción que en este tema se lleva a cabo sobre estas últimas aproximaciones y las Teorías Integradoras, manteniendo que los Modelos Plurifactoriales no presentan una base teórica, no es mantenida por todos los estudiosos de las Teorías Criminológicas.

3.1. Teoría Integradora de Farrington

Farrington defiende que los individuos desarrollan una serie de tendencias antisociales. Estas se encontrarían compuestas por toda una serie de factores predisponentes a las actitudes no prosociales, como, por ejemplo, el consumo de sustancias, la baja empatía o los estilos educativos inadecuados aplicados por los padres. Estos factores, a su vez, se pueden organizar en tres grupos.

En el primer grupo estarían los procesos energizantes, como el anhelo de cierto prestigio social, la búsqueda de sensaciones, la experimentación de tensión y frustración, y el consumo de alcohol.

El segundo grupo de factores serían de tipo direccional-antisocial. Es decir, se trataría del hecho de que los jóvenes (Farrington se refiere a menores, ya que en este momento de su teoría se ocupa de explicar la adquisición de conductas delictivas) tienden a elegir comportamientos ilegales por una ausencia de habilidades legales para conseguir los objetivos deseados.

El tercer grupo se encontraría formado por factores inhibitorios de la delincuencia de tipo interno. Estas serían habilidades tales como creencias prosociales, empatía, sensibilidad hacia los sentimientos de los otros, etc.

El delincuente, además de presentar este tipo de factores, debe tomar la decisión de delinquir en algún momento. Esto ocurre en la interacción del sujeto con una situación determinada. Así, si las tendencias antisociales existen y se produce la oportunidad del delito, el joven valorará los costes y beneficios de la ilegalidad, teniéndose más en consideración las consecuencias a corto plazo que las consecuencias a largo plazo.

Tras explicar la adquisición de los comportamientos delictivos, Farrington también se ocupa de dar cuenta del mantenimiento o desistimiento de estos. Para este autor, el grupo de amigos sería el que ejercería una mayor influencia en el joven a la hora de delinquir en la adolescencia. Además, a estas edades, se busca obtener dinero, incrementar el estatus dentro del grupo y la experimentación de riesgos que aumenten la estimulación interna. Si además el grupo de pares también lleva a cabo conductas delictivas, el joven puede mantenerse en la ilegalidad por imitación. Cabe destacar que, además, en la adolescencia, las oportunidades delictivas son mayores. La persistencia vendría dada por el hábito en la ejecución de conductas antisociales a causa de su repetición a lo largo del tiempo.

Por otra parte, el desistimiento tendría lugar cuando el sujeto mejora en sus habilidades prosociales y puede llegar a sus objetivos a través de medios legales. Farrington considera, además, que el vínculo con parejas prosociales, que se produce al entrar en la edad adulta, también sería una razón más para el abandono del estilo de vida antisocial.

Este tema se debe estudiar teniendo en cuenta que sienta las bases de comprensión de futuras Teorías Criminológicas, que se verán con posterioridad y que se apartan de la monocausa como explicación del acto criminal. De esta manera, se han intentado mostrar las tendencias teóricas que se estudiarán a partir de ahora, bien porque se tratarán de Modelos Plurifactoriales, bien porque se tratarán de Teorías Integradoras, o bien porque, dentro de las teorías monocausales, el abordaje sociológico será el predominante.

5. REFERENCIAS BIBLIOGRÁFICAS

García-Pablos, A. (2016). Criminología. Una introducción a sus fundamentos teóricos. Valencia: Tirant lo Blanch.

Garrido, V., Stangeland, P. y Redondo, S. (2001). Principios de Criminología. Valencia: Tirant lo Blanch.

Morales, J. E. (2018). Las Teorías de Gabriel Tarde. Una perspectiva analítica del neoliberalismo. Revista Filosofía Uis, 7(1), 146-166.

Serrano, A. (2017). Teoría Criminológica. Una explicación del Delito en la Sociedad Contemporánea. Madrid: Dykinson.

Capítulo V

La escuela de chicago

1. INTRODUCCIÓN A LA ESCUELA DE CHICAGO

En 1982 la Universidad de Chicago fundó su primer departamento de Sociología, en el cual se creó la Escuela de Chicago. Los académicos que la formaron compartían la idea de que el comportamiento humano se desarrolla y modifica en interacción con el ambiente físico y social. De la misma manera, la Escuela de Chicago consideró que también la comunidad ejercía una influencia en la conducta de los sujetos.

Durante finales del siglo XIX y principios del siglo XX Chicago experimentó un ascenso de la población fruto de la inmigración. En 1800 Chicago era simplemente un emplazamiento colono, pero con el desarrollo industrial se produjo un aumento de la mano laboral barata y no cualificada. De esta manera, la población de Chicago se dobló en solamente tres décadas, experimentando oleadas consecutivas de inmigrantes que llegaron a la ciudad. Pero cuando se alcanzaron los límites de la industrialización, Chicago se convirtió en una ciudad llena de trabajadores no tan necesarios, que comenzaron a presentar problemas de vivienda, sanidad y mendicidad. Además de estos contratiempos, se produjo un incremento de la delincuencia en los barrios bajos.

En esta situación se discriminaba a los inmigrantes y se les consideraba inferiores por sus costumbres, mientras que sus hijos, los cuales se adaptaron más rápidamente al choque entre la cultura de origen y la de acogida, formaron sus propios grupos de apoyo, a través de la formación de bandas.

Por otra parte, los inmigrantes no se sentían protegidos por la ley y comenzaron a negarse a apoyarla o contribuir a sus fuerzas de seguridad.

De esta manera, y por primera vez, la ciudad se convirtió en el principal objeto de estudio criminológico. Es decir, la Escuela de Chicago se centró en la ciudad. Y es que se consideraba que esta era el ambiente humano natural, que conformaba un microcosmos en el universo de las personas. A este respecto se debe señalar que se considera que, al igual que se da un proceso de simbiosis entre animales y plantas en su hábitat ecológico natural, se da una unión ecológica entre el hombre y su entorno que no se puede dividir si se pretende estudiar el comportamiento humano en cuanto a sus causas. Por este motivo a los postulados de la Escuela de Chicago se les conoce como Teorías Ecológicas y se considera que el Enfoque Ecológico en Criminología comenzó con estos estudios y autores. Este hecho supuso una nueva concepción de la dirección que debe tomar el estudio del acto criminal. Pero esta no fue la única novedad aportada por la Escuela de Chicago, sino que, además, se introdujo una nueva metodología basada en el estudio de historias de vida, algo que significó también el comienzo del uso de la metodología cualitativa.

Estas historias de vida además se realizaron de manera muy novedosa, ya que los investigadores estudiaron la ciudad desde dentro de manera participativa. Es decir, los miembros de la Escuela de Chicago no fueron meros observadores, sino que interaccionaban de manera activa con los sujetos que estudiaban.

Aun así, la Escuela de Chicago continuó utilizando datos oficiales sobre el volumen de delincuencia y los registros censales. Estos datos se utilizaron para determinar la distribución del crimen de manera geográfica, así como del absentismo escolar, la pobreza y otra serie de datos que caracterizaban a la ciudad.

Se debe señalar que los estudiosos de la Escuela de Chicago estuvieron fuertemente influidos por las investigaciones alemanas que se basaban en los factores de tipo social para estudiar el delito.

Antes de continuar con la exposición de los distintas teorías y estudios llevados a cabo por la Escuela de Chicago, se debe señalar como dato curioso que los primeros investigadores de esta organización fueron periodistas.

2. PRINCIPALES TEORÍAS Y AUTORES

En consonancia con la metáfora ecológica que se acaba de explicar, en la que se considera que la ciudad y sus habitantes son como las plantas y los animales, que se «experiencian» unos en función de los otros en simbiosis, la Escuela de Chicago desarrolló una serie de Teorías Ecológicas, que en muchos casos resultaron en férreos cimientos de explicaciones criminológicas posteriores.

De esta manera, y utilizando conceptos de la Ecología Natural, la Escuela de Chicago explicó la ciudad con términos como dominancia o invasión y dividió la urbe en mundos sociales (social worlds), que no serían más que los distintos elementos que discurren en una ciudad.

La idea central, y más importante, de la Escuela de Chicago es que las industrias que provocaron la inmigración masiva, por la oferta laboral barata y no cualificada, se asentasen en el centro de la ciudad. Este centro era el núcleo rural que en un principio fue Chicago antes de sufrir el proceso de industrialización. El flujo de transeúntes, la suciedad y los ruidos que caracterizaban a esta zona provocaron que los residentes de la ciudad la abandonasen. Esto desencadenó, por una parte, que el precio de la vivienda del centro se abaratase, pudiendo encontrarse en ella alojamientos más asequibles para los inmigrantes más recientes y con menos recursos. Y, por otro lado, que las personas con mayores recursos buscasen alejarse de esa zona central y se mudaran a la periferia.

Cuando los habitantes de las zonas centrales mejoraban su posición económica, también se trasladaban a zonas más caras, dejando el centro industrializado a los nuevos y menos pudientes inmigrantes. Así, se produjo constantemente un flujo de movilidad geográfica de los habitantes de Chicago.

Estas zonas que «nadie quería» serían el foco principal de la pobreza y la delincuencia, donde el control social formal se dificultaba, al contrario de lo que ocurría con anterioridad al crecimiento de la ciudad, cuando Chicago era un pueblo. Y es que otra idea central de la Escuela de Chicago es que las zonas rurales propician el control social formal e informal, mientras que el anonimato de las grandes ciudades dificulta ambas tareas.

2.1. Teoría de los Círculos Concéntricos

Las ideas anteriormente mostradas sobre la expansión poblacional fruto de la industrialización, y sus consecuencias sociales, fueron desarrolladas por dos de los más grandes representantes de la Escuela de Chicago: Robert Park y Ernest Burgess.

Estos autores desarrollaron la, quizá, teoría más famosa de la Escuela de Chicago: la Teoría de los Círculos Concéntricos.

Esta teoría defiende que la ciudad de Chicago se podía entender como una sucesión de círculos concéntricos, en los que cada uno rodeaba al anterior y en muchas ocasiones cada una de estas áreas circulares se veía rodeada por otra. Véase la siguiente figura:

Figura 1. Distribución de la ciudad por círculos. Fuente: http://pensarlacomunicacionunheval.blogspot.com/2012/

Cada uno de estos círculos recibía un número y un nombre, y además presentaba sus propias características.

- Zona 1 o loop: se trataba de la zona de negocios, caracterizada por fábricas, comercios y pocas residencias.
- Zona 2 o zona de transición: se trataba de la zona circular que rodeaba al loop y que se veía invadida por el crecimiento de la zona 1. Esta no sería un área deseable en términos de residencia, pero, a causa de su deterioro, se llenaría de inmigrantes por su pobreza, los bajos precios de la vivienda y la cercanía a las fábricas donde se podía encontrar trabajo. Pero los habitantes de estas zonas se mudaban a la zona 3 cuando podían permitírselo desde el punto de vista económico, dejando esta zona 2 a los nuevos inmigrantes.

Zona 3 o working´s men homes: se trataba de la zona circular que rodeaba a la del círculo que configuraba la zona 2. En esta área residían los trabajadores que habían escapado de la zona de transición.

- Zona 4 o zona residencial: en esta residían los habitantes de clase media.
- Zona 5 o commuter´s zone: en esta ocasión nos encontramos con las zonas más apartadas del centro de la ciudad, donde residirían los ciudadanos más adinerados que viajarían diariamente a la zona de negocios para desempeñar su actividad laboral.

En general, los problemas sociales, incluida la delincuencia, tenderían a concentrarse en las primeras zonas y se irían desvaneciendo a medida que se producía un alejamiento del centro. De esta manera, desde una perspectiva ecológica, se explicaría la criminalidad, la cual se concentraría principalmente en la zona 2 o zona de transición, aunque también se darían actos delictivos en la zona 1, ya que cerca de las zonas comerciales también se tendería a la criminalidad.

2.2. El concepto de Desorganización social

El concepto de Desorganización Social fue creado por la Escuela de Chicago para explicar la criminalidad y su distribución espacial, como se ha visto en la Teoría de los Círculos Concéntricos. Este concepto, descrito por Shaw y McKay, se basaba en el elemento de relación primaria.

Las relaciones primarias en las áreas rurales, con los amigos, la familia y el vecindario, serían estables y cohesionadas, caracterizándose estas además por valores y un buen ambiente familiar. Además, en los pueblos también se experimentaría un sentimiento de pertenencia y respeto a la zona de residencia. Estos factores positivos, que son propios de las zonas rurales, conformarían el concepto de Organización Social.

Contrariamente, la Desorganización Social sería la ausencia de esos valores y características, que desde la Escuela de Chicago se resumirían en cuatro elementos. El primero sería la situación económica baja, el segundo la mezcla de diferentes grupos étnicos, el tercero sería la elevada movilidad residencial entre distintas áreas, y por último la existencia de familias desestructuradas. Estos cuatro factores serían representativos de la zona 2 de transición, que, como se acaba de señalar, sería aquella con mayores índices de criminalidad. Además, en esta zona, el mantenimiento saludable de las relaciones primarias también se vería afectado.

Ya se ha señalado que en tiempos de la Escuela de Chicago la inmigración se veía especialmente representada en las zonas 1 y 2. Estas se caracterizaban tanto por los déficits en las relaciones primarias como por la Desorganización Social de su entorno. Lo que también ocurriría con la inmigración de Chicago de aquella época es que se encontraría en una situación en la que el mantenimiento de las relaciones primarias sería casi imposible, y en la que, además, la relación con la cultura americana tampoco vendría socialmente favorecida por la extrema dificultad para este grupo social para la consecución de mejoras sociales y económicas, por la barrera impuesta hacia ellos por parte de una sociedad americana ya establecida.

Todas estas ideas reforzarían el constructo de Desorganización Social como causa y explicación del delito.

La Investigación de la Delincuencia Juvenil desde la perspectiva de la Escuela de Chicago

Shaw y Mckay fueron los investigadores que, dentro de la Escuela de Chicago, se ocuparon del estudio de la delincuencia juvenil. Este tipo de delincuencia, y su investigación, fue quizá el análisis de mayor relevancia desde el punto de vista criminológico de este grupo de investigadores. Este se plasmó en la obra Juvenile Delinquency and Urban Areas.

Las áreas desorganizadas de la ciudad serían las que presentarían mayores tasas de delincuencia juvenil, según hallaron estos autores en sus diferentes estudios. Así, analizando la reincidencia en menores y clasificándolos en función del barrio de residencia y hallando el porcentaje de jóvenes delincuentes en cada zona de la ciudad, Shaw y Mckay pudieron llegar a esta conclusión.

Los resultados de esta investigación encontraron que se daban diferencias significativas en los registros sobre delincuencia en las distintas zonas de la ciudad, existiendo algunas de ellas con porcentajes que casi no se alejaban de cero, y otras en las que parecía que se producían la mayoría de los registros sobre delincuencia juvenil.

Además, se pudo comprobar que estas áreas que concentran la residencia de la mayoría de las jóvenes delincuentes eran las zonas de transición, siendo estos delincuentes de origen extranjero, residentes de viviendas más económicas y con una problemática social variada.

Finalmente, se debe señalar que estos autores no encontraron relación alguna entre ninguna etnia social concreta y la delincuencia, pero sí entre la Desorganización Social y el crimen.

2.3. El Interaccionismo simbólico

El Interaccionismo Simbólico es una de las teorías de mayor repercusión surgidas de la Escuela de Chicago. Se trataría de la idea de que el comportamiento humano dependería de la interacción del individuo con su ambiente (lo cual incluiría a los individuos que en él se encuentran) y los símbolos sociales adquiridos de esta interacción.

El Interaccionismo Simbólico también se fundamentaría en la idea de que la mente y el cuerpo no serían innatos, sino un producto del ambiente. Esto se debería a que los seres humanos interpretarían o simbolizarían tanto al resto del mundo como a sí mismos. De esta manera, ante situaciones y personas, la valoración, interpretación, simbología o definición (como se prefiera denominarlo) determinaría nuestro comportamiento. De hecho, el Interaccionismo Simbólico, defendía la idea de que la interpretación de nosotros mismos depende de lo que los demás nos consideren. A esto Margaret Mead lo denominó el otro generalizado. Además, tanto ante los demás como ante nosotros, seríamos distintos símbolos, interpretaciones o roles, algo que vendría determinado por la situación concreta. Es decir, en la familia seríamos hijos, en el trabajo compañeros de trabajo, con los amigos un amigo, etc.

Todos estos planteamientos del Interaccionismo Simbólico supondrían que, si una situación se interpreta erróneamente, nos podemos comportar incorrectamente, por lo que ser delincuente podría ser producto de una situación interpretada equivocadamente.

Por otra parte, también se deduciría de todos estos planteamientos que la vida social es relativa y una mera acumulación de roles, sin que se puedan esgrimir leyes universales del comportamiento humano.

También se concluiría, desde esta perspectiva, que existirían lugares donde el comportamiento desviado sería normal, y los desviados no lo contemplarían como algo anómalo, sino que serían personas fuera de ese grupo las que así lo calificarían.

Finalmente, el Interaccionismo Simbólico defendería que el conflicto sería normal, y más en sociedades en las que se da cierta diversidad. Es decir, la diversidad conllevaría conflicto.

Para cerrar este apartado, simplemente hay que señalar que el Interaccionismo Simbólico tras su nacimiento siguió y continúa influyendo el pensamiento social y criminológico.

3. MUJERES OLVIDADAS EN LA ESCUELA DE CHICAGO

Aunque sus trabajos no hayan trascendido como, por ejemplo, los de Park y Burguess o Shaw y McKay, no dejan de ser de extrema importancia las aportaciones de las denominadas mujeres olvidadas de la Escuela de Chicago.

Aunque fueron muchas, en este apartado se señalarán los trabajos de solo algunas de ellas, por problemas de extensión.

- Jane Adams fue profesora asociada de Sociología en la Universidad de Chicago, además de ser una proclive activista social y ganadora del Premio Nobel de la Paz. Esta autora escribió numerosos estudios sociológicos y un sinfín de libros en torno a sus reflexiones sociales. Su obra más destacada fue Democracy and Social Ethics. Su obra se caracterizaba por la reforma social y el activismo político. Addams defendía el método de la observación participante y la participación en la vida de la ciudad para analizarla, siguiendo la corriente metodológica de la Escuela de Chicago. En su obra esta autora defendía la participación de la mujer en todas las esferas sociales, la labor sindical y la promoción de parques y zonas de recreo que propiciasen las relaciones sociales de todo tipo en la ciudad.
- Breckinridge fue la primera mujer que completó un Doctorado en Derecho en la Universidad de Chicago. Esta autora publicó sobre mujeres e inmigración y Trabajo Social. También se preocupó por los problemas de vivienda en Chicago y su relación con la pobreza. En concreto, visitó y estudió las Furnished Rooms, que eran habitaciones-piso en las que residían los trabajadores pobres y que carecían de todo tipo de medidas de higiene y de privacidad. En base a sus estudios, esta autora demandó mejoras sociales, inspecciones e inspectores y el cumplimiento de la legislación vigente. En cuanto a los temas criminológicos, Breckinridge llevó a cabo una investigación empírica sobre jóvenes delincuentes y, en especial, sobre aquellos que eran hijos de mujeres viudas.

- Frances Kellor, estudió Derecho y Criminología, ocupándose en especial, de la delincuencia femenina. En su obra defendió la complementación de la Psicología y la Sociología para estudiar este fenómeno delincuencial. Ella misma se opuso a los postulados de los clásicos sobre delincuencia femenina y a la Teoría del Atavismo de Lombroso, llevando a cabo sus propias investigaciones. En estas, Kellor realizó veinte medidas antropométricas como las de Lombroso y una serie de mediciones psicológicas. En estas investigaciones se compararon, en base a estas mediciones, a 61 mujeres delincuentes con 55 estudiantes. Tras esta primera investigación, Keller llevó a cabo otra medición, pero además incluyó variables sociológicas a través de entrevistas y observación. De estas investigaciones se concluyó la importancia de los factores sociales para explicar la delincuencia femenina.

4. VALORES Y CRÍTICAS A LA ESCUELA DE CHICAGO

En concordancia con lo que señalan Cid Moliné y Larrauri Pijoan, las críticas metodológicas a la Escuela de Chicago han sido en dos sentidos. Por una parte, se ha señalado que el trabajo de Shaw y Mckay puede reflejar en realidad el mayor control policial de unas áreas sobre otras; sin embargo, estos autores sí tuvieron en cuenta que la policía solía concentrar sus trabajos en unas zonas determinadas. Además, los trabajos de revisión de los estudios de estos autores no han hallado que la diferencia en las tasas de delincuencia entre ciertas zonas de la ciudad de Chicago fuese debida a la variable sobre la presencia policial.

También se ha criticado a la Escuela de Chicago, en relación con las investigaciones de Shaw y McKay, por caer en la llamada Falacia Ecológica. Esta falacia sería la idea de que vivir en un barrio conflictivo implicaría una mayor probabilidad de cometer delitos. Sin embargo, esta afirmación nunca fue defendida por estos autores. De hecho, en su investigación, se puede comprobar cómo incluso en los barrios más conflictivos la mayoría de los jóvenes no eran delincuentes.

En cuanto a la validez empírica, y continuando con el trabajo de los autores señalados, se debe comprobar si efectivamente los barrios que presentan los elementos que caracterizan al constructo de Desorganización Social presentan mayores tasas de delincuencia.

Las revisiones a las investigaciones de la Escuela de Chicago han demostrado que la relación entre la pobreza y la delincuencia era evidente. También la movilidad se ha relacionado con las mayores cifras de delincuencia. Sin embargo, esta relación no se ha hallado en cuanto a la variable que estudia la heterogeneidad étnica. Con posterioridad, y con matices, este último hecho se ha comprobado como cierto y a través del análisis de variables de otra envergadura.

La Desorganización Social, por lo tanto, como señaló la Escuela de Chicago, sí se relaciona con la delincuencia.

También se debe comprobar si las personas pobres delinquen de manera diferenciada en función del ambiente concreto en el que se encuentran. A este respecto se ha encontrado que la pobreza por sí misma no correlaciona con la delincuencia, pero, cuando esta variable se une a un contexto urbano, heterogéneo, con elevados índices de delincuencia adulta, etc., sí se encuentra que la situación económica baja se relaciona con la criminalidad.

En cuanto a las políticas criminales derivadas de la Escuela de Chicago, esta ha defendido la importancia de la reducción de la pobreza para disminuir la delincuencia; sin embargo, las políticas criminales no se centraron en este aspecto, sino en la reorganización de la comunidad. Por este motivo, las políticas criminales en torno a los postulados de la Escuela de Chicago no se pueden comprobar adecuadamente.

Finalmente, en cuanto a la actualidad de las teorías de la Escuela de Chicago y continuando con las aportaciones de Cid Moliné y Larrauri Pijoan, se debe señalar que este aspecto sería algo que solamente se podría aplicar a situaciones de crecimiento de las ciudades, como ocurrió en Chicago en la época en la que se fundó la Escuela. De todos modos, si se tienen en cuenta los elementos que conforman el concepto de Desorganización Social, estos sí se pueden correlacionar con la delincuencia en muchas ciudades en la actualidad.

5. REFERENCIAS BIBLIOGRÁFICAS

Cid, J. y Larrauri. E. (2001). Teorías Criminológicas. Barcelona: Bosch.

García, S. (2010). La historia olvidada de las mujeres de la Escuela de Chicago. Revista Española de Investigaciones Sociológicas (REIS), 131, 11-41.

Williams, F. P. y McShane, M. D. (2014). Criminological Theory. USA: Pearson.

Capítulo VI

Teorías ambientales y psicología comunitaria

1. LAS TEORÍAS AMBIENTALES O CRIMINOLOGÍA AMBIENTAL

Las Teorías Ambientales plantean que la delincuencia se explica por la existencia de un entorno determinado, sin dejar de lado los aspectos sociales e individuales propios de la explicación criminal, pero centrándose más en el ambiente. En este caso, ese ambiente sería diferente al entorno macro o microsocial que hemos visto hasta ahora. Es decir, el componente ambiental debe entenderse como el elemento espaciotemporal concreto en el que ocurriría el fenómeno delincuencial. Por este motivo, el ambiente debería tenerse en cuenta como otra variable explicativa y por lo tanto como un elemento más en el diseño de medidas de prevención e intervención.

La Criminología Ambiental ha constatado que ciertos espacios facilitan el delito y que la ocurrencia de un crimen en un lugar determinado no se produciría al azar. Por este motivo, el objeto de estudio sería, en este caso, el evento delictivo.

La Criminología o las Teorías Ambientales no surgieron de manera uniforme, sino que el enfoque ambiental fue apareciendo (y sigue haciéndolo) de manera dispar a modo de diferentes intentos explicativos. Sus influencias y antecedentes sí que se presentan más nítidamente.

Así, los mapas del delito son ejemplos prácticos de Criminología Ambiental, y su aparición en el estudio del fenómeno delincuencial se señala claramente como un antecedente de este tipo teórico. Estos aparecieron con la Estadística Moral, y por lo tanto este enfoque es un antecedente de las Teorías Ambientales. Esta solamente se ha introducido con anterioridad en esta asignatura, por lo que en este punto se profundizará más en esta perspectiva.

Dentro de la Estadística Moral, Quetelet y Guerry fueron los primeros en presentar datos delincuenciales con tablas y mapas, algo a lo que ya estamos muy acostumbrados hoy día, pero que en su tiempo fue una novedad. Gracias al trabajo de estos autores se conoció por primera que el delito no se distribuía uniformemente y que cierto tipo de delitos se producían más en unas zonas que en otras, como por ejemplo los delitos contra la propiedad y contra las personas. Esta escuela estadística también demostró las diferencias entre países en cuanto a la distribución del crimen y la estabilidad en el tiempo de estos patrones delincuenciales.

La representación del delito en mapas también se llevó a cabo con posterioridad desde la Escuela de Chicago, donde, como se ha explicado en el tema «La Escuela de Chicago», se realizaron estudios sobre la distribución espacial del delito, llegando a plantearse, así, la Teoría de los Círculos Concéntricos.

Tras los trabajos de la Estadística Moral y de la Escuela de Chicago, los elementos ambientales sufrieron un marcado desinterés que murió en los años 70 del siglo XX. En ese momento surgieron los CPTED (prevención del delito a través de diseños de espacio), de los que Jane Jacobs y Elizabeth Woods son un referente, así como los trabajos de Jeffery y Newman.

Jeffery, que ya se abordó -aunque desde otra perspectiva- en el tema «Modelos psicologicistas: Teorías del Aprendizaje, Teorías del Aprendizaje Social y Teoría de Feldman» de esta asignatura, llevó a cabo una propuesta de prevención del delito desde el punto de vista del diseño urbano, pero también desde las políticas sociales y las intervenciones individuales. Estas últimas ya se han mostrado en el citado tema del curso, por lo que en este apartado solamente se incidirá en el hecho de que este autor especificó una serie de medidas arquitectónicas y urbanas específicas, desde el punto de vista preventivo.

Los trabajos de Jeffery, aun siendo el primero en acuñar el término CPTED (que se verá con posterioridad), se quedaron oscurecidos por la publicación poco tiempo después de la obra de Oscar Newman.

1.1. Oscar Newman y el Defensible Space

Newman, arquitecto del Institute of Community Design Analysis, publicó un estudio sobre zonas residenciales de Estados Unidos e introdujo el concepto de Defensible Space.

Según Newman, ciertos espacios arquitectónicos favorecerían la delincuencia ya que sería difícil que, por su diseño urbano, se pudiera ejercer control alguno tanto por parte de la policía como por parte de los habitantes de las viviendas. Se trataría de espacios con numerosas entradas, espacios cerrados, aparcamientos y poca visibilidad desde los edificios hacia el exterior.

Por este motivo, Newman propuso un modelo arquitectónico para zonas residenciales de Espacio Defensivo (Defensible Space).

La propuesta de este autor se centró en subdividir las zonas públicas en otras más pequeñas, algo que provocaría una actitud de propiedad por parte de los habitantes de esa zona. También se propuso un aumento de ventanas, con una ubicación estratégica en los edificios para que se pueda observar y los intrusos se sientan observados. Newman también especificó que se deberían unir espacialmente las zonas más concurridas a las actividades públicas no peligrosas (por ejemplo, el juego y disfrute al aire libre en los parques). Por último, este autor propuso la construcción de numerosas áreas públicas de manera que sus visitantes se pudiesen sentir observados por el resto de las personas que acuden a estos lugares, y esto pudiese frenar la actividad delictiva.

Figura 1. Medidas constitutivas del Defensible Space de Oscar Newman.

1.2. Teoría de las ventanas rotas de Phillip Zimbardo

Phillip Zimbardo, psicólogo de la Universidad de Stamford, famoso por su experimento sobre la prisión, creó toda una Teoría Ambiental denominada de las ventanas rotas, que ha supuesto un hito dentro de las investigaciones de este tipo.

En un primer momento Zimbardo abandonó dos coches idénticos en dos calles diferentes. Una de ellas pertenecía al Bronx (zona pobre y conflictiva de Nueva York) y la otra a Palo Alto (zona pudiente de California).

El primer automóvil, el del Bronx, se vandalizó a las pocas horas de su abandono, sufriendo el robo de muchas de sus partes, mientras que el coche de Palo Alto se mantuvo intacto sin ningún tipo de incursión.

En una segunda fase del experimento Zimbardo y su equipo, y una semana después del abandono del coche en Palo Alto, rompieron una de sus ventanas. Tras este hecho, este segundo vehículo también fue vandalizado de la misma manera que había ocurrido con el del Bronx.

Zimbardo concluyó que no es la pobreza lo que produce el delito, sino la sensación de abandono, de deterioro, de ausencia de control alguno y de inexistencia de normas sociales. En cada nuevo ataque que experimentaba el coche todas estas sensaciones se reforzaban.

1.3. El perfilado geográfico

El postulado que se defiende desde la Criminología Ambiental de que el delito se explica por la existencia de un ambiente determinado se ha llevado a su máxima expresión aplicada en la creación del perfilado geográfico. Este consiste en el estudio de las zonas en las que ha actuado un delincuente, para inferir aspectos de su personalidad y de su zona de residencia. Todo esto dentro de la técnica más amplia de perfilado criminal.

La primera vez que se desarrolló una teoría al respecto fue de la mano de David Canter, profesor de Psicología Ambiental de la Universidad de Liverpool que desarrolló con posterioridad la Psicología Investigativa. Este autor, y dentro de esta, desarrolló la Teoría del Círculo basándose en sus estudios ambientales y en su técnica de perfilado criminal.

La Técnica del Círculo defendería que, utilizando como extremos de un diámetro los dos puntos geográficos más alejados de los delitos cometidos por un mismo autor, se puede dibujar un círculo, encontrándose la zona de residencia del criminal dentro de él.

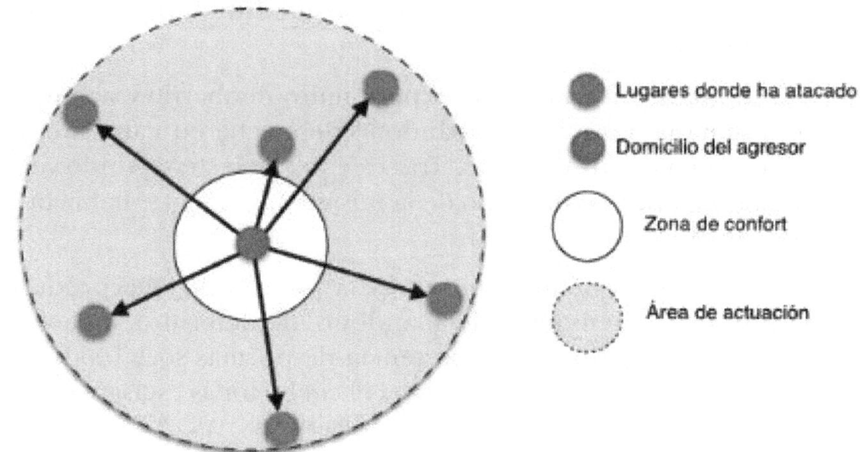

Figura 2. Hipótesis del Círculo de Canter. Fuente: https://blogs.ucjc.edu/hipotesis-del-circulo-de-canter/

En la figura anterior se pueden observar dos colores diferenciados dentro del círculo, que se corresponden con el área de actuación y la zona de confort del agresor. Esto se debe a que Canter defiende que la zona en la que el criminal reside (zona de confort) no sería de utilidad para este por miedo a un reconocimiento; así, esta área, sería excluida como zona de actuación. Sin embargo, existiría una zona no demasiado alejada de la zona de la vivienda del delincuente, que sería también conocida por este, pero con una menor probabilidad de reconocimiento, y que sería elegida por el infractor para cometer sus delitos. Esta es la denominada zona de actuación.

En base al tipo de desplazamientos desde la zona de residencia del agresor, se puede clasificar a los criminales en tres tipos diferentes. Esta tipología no será objeto de estudio de esta asignatura por corresponderse al contenido de otra materia del Grado. Aunque se debe señalar que el trabajo sobre el perfil geográfico de David Canter ha desembocado en la creación de un software informático denominado Dragnet, que se utiliza en la actualidad en las investigaciones de delitos cometidos por un mismo autor desconocido.

Tras David Canter, el trabajo más importante sobre perfilación criminal corresponde a Kim Rossmo. Rossmo es un criminólogo y agente de policía de Vancouver (Canadá), que además destacó por ser el primer miembro de este cuerpo de seguridad con un Doctorado en Criminología.

Rossmo también especificó una zona de confort o seguridad, en la que el delincuente viviría, trabajaría o utilizaría como espacio de ocio y compra, y que proporcionaría una tranquilidad emocional al sujeto infractor. Esta sería la zona elegida por el criminal para llevar a cabo sus infracciones.

Mientras Rossmo defendió que los criminales actúan en zonas conocidas pero situadas a una distancia prudencial del barrio de residencia, que además resultarían cómodas para el delincuente ya que se encontrarían dentro de sus actividades rutinarias, Canter explicó que el criminal se alejaría lo justo y necesario para asegurarse de no ser reconocido, pero no tanto como para no controlar ese espacio geográfico. Es esta línea, Rosmmo también especificó otra zona denominada Buffer Zone, en la que el delincuente no actuaría por miedo a ese reconocimiento.

Al igual que ocurre con Canter, existen más especificaciones sobre el trabajo de Kim Rossmo que no se abordarán por corresponderse a otra materia del Grado. Y al igual que en el caso de Canter, también existe un software basado en las teorías de Rossmo, que analiza el perfil geográfico de un delincuente desconocido, denominado CGT.

1.4. Los mapas de criminalidad y el CPTED

Una consecuencia directa de la Criminología Ambiental es la aplicación de las medidas urbanísticas a la prevención del delito. Esta se ha llevado a cabo a través de los mapas de la criminalidad y de los programas CPTED (Crime Prevention Through Environment Desing).

Los mapas de la criminalidad se utilizan en la actualidad no solamente como una herramienta de trabajo de las Fuerzas y Cuerpos de Seguridad del Estado, sino también como una herramienta científica de tipo exploratorio en cuanto a un delito concreto.

Y es que los mapas de delito han aportado una serie de beneficios, como la información sobre el vínculo con el espacio geográfico estudiado, algo que los diferencia de las bases de datos. Pero también han resultado útiles en cuanto a su uso en los medios de comunicación, su manejo por los agentes de control social y la información proporcionada a los ciudadanos, que, a través de un solo golpe de vista, informan sobre toda una serie de datos de gran relevancia. Y es que los mapas son un método de comunicación que comunican rápidamente sobre un suceso en un lugar concreto.

Hoy día los mapas de la criminalidad son utilizados para responder a las demandas de control por parte del control social formal, para orientar el uso de recursos y medidas que reduzcan la incidencia y prevalencia del delito, para identificar los puntos calientes del crimen, para asignar políticas de reducción de los actos infractores, etc.

De la misma manera, los mapas del delito pueden ayudar a comprender no solamente la distribución de este, sino también sus causas y características, como se realizaba ya en tiempos de la Escuela de Chicago. En este sentido, este tipo de mapas sirve para evaluar las medidas encaminadas a la reducción del delito en una zona.

Además, los mapas de la criminalidad ayudan en la comprensión de la magnitud del delito en función de la zona concreta estudiada. Aparte de esto, el uso de mapas para la predicción del crimen puede ser de utilidad para llevar a cabo medidas que eviten la ocurrencia de un evento delictivo concreto, reforzando el envío de operarios de las Fuerzas y Cuerpos de Seguridad del Estado. No se desea finalizar este apartado sin señalar que, además de los beneficios de los mapas de la criminalidad, se deben señalar también algunos inconvenientes, siendo estos el hecho de que no se puede reflejar en ellos absolutamente toda la información sobre un fenómeno delincuencial, ya que no todo ocurre en función de un espacio geográfico. De la misma manera, estos mapas no pueden reflejar los datos sobre la cifra negra, a no ser que se realicen en base a encuestas de victimización y autoinforme.

Por otra parte, otra de las consecuencias más directas y de mayor repercusión hoy en día, desde los postulados de la Criminología Ambiental, son los programas de CPTED. Estos son programas de prevención del delito a través del uso del diseño ambiental.

Los CPTED se suelen usar en ciudades, diseñando las áreas de residencia desde un esbozo arquitectónico concreto que evite el delito. Más en concreto, se pretende disminuir el efecto de la incursión de extraños en las viviendas e influir en las decisiones de los delincuentes. Y es que, en estos diseños, se parte de la idea de que existen determinados lugares en las ciudades que favorecen el crimen por la escasez de barreras para evitarlo.

Los CPTED se ocupan de medidas tanto a nivel micro como a nivel macro, incluyendo tanto todo el diseño arquitectónico de un barrio como solamente la acción sobre el sistema de iluminación de una calle.

Ya que este tipo de programas se abordarán en otros momentos del Grado con mayor profundidad, solamente se señalará, para finalizar su introducción y caracterización general al lector, que los CPTEDs se basan en cinco elementos: el control natural de los accesos a las zonas de residencia, la participación comunitaria, el reforzamiento social, el mantenimiento y la vigilancia natural.

2. OTRAS TEORÍAS AMBIENTALES

Antes de finalizar este apartado se desea hacer referencia a dos Teorías Ambientales que han experimentado un gran impacto en el compendio general de las Teorías Criminológicas. Estas son la

Teoría de las Actividades Rutinarias de Cohen y Felson y la Teoría de las Pautas Delictivas de Brantingham y Brantingham.

Así, la Teoría de las Actividades Rutinarias de Cohen y Felson defiende que, para que se pueda producir un delito, el delincuente y la víctima deberían coincidir en el mismo espacio y al mismo tiempo, siendo este espacio el habitual de ambos actores por ser el que se recorrería para acudir al trabajo, a la vivienda de un familiar, a una zona habitual de ocio, etc. Es decir, se trataría de un área o recorrido que formaría parte de las actividades rutinarias de los sujetos. Esta teoría también se podría clasificar como una teoría de la oportunidad, algo que está de plena vigencia en la actualidad.

Por otra parte, la Teoría de las Pautas Delictivas de Brantingham y Brantingham explica que existiría una fuerte asociación entre el mapa mental del agresor y la elección de la víctima.

2.1. La Psicología comunitaria

Las ideas ambientalistas influyeron enormemente en otros enfoques como la Psicología Comunitaria. Esta surgió en los años 60 como reacción a los modelos psicológico-clínicos, siendo este hecho el reflejo de un cambio social que propugnaba un papel más activo de las pequeñas comunidades a modo, además, de organización de la vida urbana.

La Psicología Comunitaria es un área de estudio que se ocupa de la relación entre la conducta de los sujetos y las comunidades o sistemas sociales, que, desde el punto de vista criminológico, explicaría la delincuencia (al igual que todos los problemas psicosociales) por la desintegración social y familiar. La premisa principal sería, entontes, actuar en estos aspectos.

La Psicología Comunitaria, por lo tanto, perseguiría el sentimiento de comunidad, pertenencia y dependencia social como estrategia a seguir. Se consideraría también fundamental la sensación de control de la propia historia de vida y del entorno social próximo.

El objetivo de la Psicología Comunitaria sería el de la prevención de todo tipo de problemática psico-social, pero también de la intervención ante los problemas comunitarios de la actualidad, y siempre persiguiendo la reconstrucción social y comunitaria, y la promoción de medidas que generen nuevos recursos y actuaciones en este sentido.

Detallando estas pretensiones y métodos que utiliza la Psicología Comunitaria, se debe señalar que esta perseguiría el desarrollo y potenciación de los recursos y habilidades individuales y sociales para la resolución de problemas de la sociedad.

Esta idea se basaría en la concepción de que no se necesitaría aceptar la situación social real, sino que se podría considerar que esta es mejorable o que es un punto de partida para la transformación social y comunitaria. Esta reconstrucción se debe llevar a cabo a través de centros sociales, grupos de ayuda, redes de apoyo, comunidades terapéuticas, etc. Además, esta reconstrucción implicaría la modificación de los sistemas sociales, la creación de otros nuevos, una acción social de abajo hacia arriba, un cambio institucional y ese hincapié en la adquisición del desarrollo de una comunidad.

Para completar la descripción de la Psicología Comunitaria, se deben enumerar las técnicas utilizadas por esta, las cuales serían: la consulta de profesionales a modo de consultoría, las estrategias de intervención en momentos de crisis, la promoción de la ayuda mutua, la organización del apoyo social, el análisis institucional, el uso de voluntariado social, el desarrollo organizacional, la abogacía social, la creación de las comunidades terapéuticas, la rehabilitación urbana, la promoción de la salud, la organización de la comunidad y, en relación directa con la Criminología Ambiental, el diseño de entornos físicos de contenido arquitectónico.

Desde esta perspectiva se proyectaría la necesidad de la promoción de las instituciones mediadoras entre los individuos y la vida pública y, sobre todo, la acción preventiva y el desarrollo integral de los espacios y los individuos. Para la prevención que se pretendía desde la Psicología Comunitaria se necesitaba actuar en la vida urbana, promoviendo las instituciones intermediarias entre el individuo y la creación de centros sociales que pudiesen intervenir en la socialización de la población.

En general, desde este enfoque, se propugnan medidas específicas en los barrios y zonas en las que se producen mayores problemas sociales. La intervención, por lo tanto, se orienta más hacia lo ambiental que hacia lo individual, pero también en el sentido en el que se demandaban actuaciones institucionales, por entender que estas se relacionaban positivamente con los comportamientos de sus trabajadores. Además del hecho de que la prevención debería ir acompañada de cambios en el sistema legislativo, político, macrosociológico, etc.

Julian Rappaport y el modelo de Empowerment

El Empowerment pretende mejorar la calidad de vida a través de la utilización de recursos individuales, comunitarios y grupales. Esto implicaría el desarrollo de nuevos ambientes en los que los sujetos podrían gestionar y mejorar su propia vida.

Para Rappaport los elementos principales de su teoría serían la ciencia social, la acción política y el desarrollo de recursos. Así, la ciencia social y su método científico garantizarían el conocimiento de la realidad social. Este conocimiento incidiría en el hecho de que, por medio de la acción política, se podrían llevar a cabo modificaciones en el entorno social, y sobre todo sobre aquellas poblaciones que necesitan un progreso de sus recursos. Este desarrollo social permite, además, que los individuos generen un cambio social al comprender y posicionarse en su realidad propia. Es en este momento en el que la Teoría de Rappaport llega al momento del Empowerment (es decir, del empoderamiento).

El Empowerment abriría la puerta a toda una serie de beneficios como la salud mental, la competencia, la justicia y el apoyo social, etc. Así, el individuo debería empoderarse y ser el motor de su propio cambio social a través de una serie de medidas sociales que le faciliten esta tarea. Estas medidas conllevarían el hecho de que las personas y comunidades deben controlar y dominar todos los aspectos de su vida.

Según defiende Rappaport, ese empoderamiento llegaría de la mano de la autodeterminación individual y de la participación democrática en la vida comunitaria. Para este fin Rappaport especificaría la interacción del individuo con su entorno, definiendo así el camino de la Psicología Comunitaria como una aproximación ecológica.

3. REFERENCIAS BIBLIOGRÁFICAS

Buelga, S. (2007). El Empowerment: la potenciación del bienestar desde la psicología comunitaria. En M. Gil (Dir.), Psicología Social y Bienestar: una aproximación interdisciplinar (pp. 154-174). Zaragoza: Universidad de Zaragoza.

Canter, D. (2007). Mapping Murder. Londres: Virgin Books.

García-Pablos, A. (2016). Criminología. Una introducción a sus fundamentos teóricos. Valencia: Tirant lo Blanch.

Newman, O. (1996). Creating Defensable Space. USA: Department of Housing and Urban Development. Office of Policy Development and Research.

Salafranca, C. y Maldonado, D. J. (2018). Perfil Geográfico de incendiarios urbanos. REIC, 16, 1-34.

Sánchez, A. (1991). Psicología comunitaria: origen, concepto y características. Papeles del Psicólogo, 50.

Segato, L. (2007). Los mapas de criminalidad. En Congreso Internacional de Ciudades, Urbanismo y Seguridad (pp. 143-175). Madrid: Ayuntamiento de Madrid.

Vozmediano, L. y San Juan, C. (2010). Criminología Ambiental. Ecología del delito y la Seguridad. Barcelona: Editorial UOC.

Capítulo VII

Teorías de la anomia

1. EL ESTRUCTURAL-FUNCIONALISMO

Antes de comenzar con los postulados de Durkheim y Merton, se deben encuadrar en el enfoque sociológico del Estructural-Funcionalismo o Funcionalismo Estructural, l cual no solamente pertenecen, sino que ilustran e inician, junto a otros autores como Parsons y Laswell.

El Estructural-Funcionalismo es un marco teórico-social que se basa en la idea de que una sociedad es un sistema cuyas partes trabajan conjuntamente para que se produzca un buen funcionamiento.

Más en concreto, se trata de una corriente que explica un organismo compuesto por distintos elementos. Estos serían los elementos sociales cuyo trabajo común dependería primeramente de las tareas que corresponden a cada uno de ellos, pero que, al final, aun a pesar de esta característica, funcionarían como un todo unitario.

Esta idea de unidad lleva aparejada el hecho de que cada elemento social (o institución) influye en el resto cada vez que lleva a cabo su cometido. Es decir, la sociedad es una continua interacción entre sus partes (esta sería la base que sustenta el pensamiento estructural-funcionalista).

Los sistemas que componen el organismo de la sociedad son subsistemas, siendo estos de tipo biológico, cultural, de personalidad y social.

El subsistema biológico se refiere a que el ser humano es una especie organizada que se adapta socialmente, algo que viene regulado por las instituciones de tipo económico.

El subsistema cultural se refiere a todas las normas, símbolos, valores, etc., que se comparten en una sociedad y que se mantienen por las instituciones del sistema educativo.

El subsistema de la personalidad se refiere al conjunto de motivaciones sociales que presentan los individuos para conseguir las metas que esta impone.

Por último, el subsistema social es el que representa las interacciones recíprocas entre los sujetos sociales, que deben aceptar las metas y las esperanzas que impone la sociedad a la que pertenecen. Como se trata de que esas metas se obtengan en armonía social sin incurrir en comportamientos infractores, las instituciones judiciales son las que presentan un mayor peso específico en este subsistema.

El Estructural-Funcionalismo destaca por toda una serie de aproximaciones teóricas a la sociedad, pero, sobre todo, y más para el propósito de la explicación criminológica, por el desarrollo del concepto de Anomia y de la Teoría de Durkheim y Merton.

1.1. Teoría Sistémica de la Prevención Integradora

Las Teorías Sistémicas de la Prevención Integradora se centran en el sistema social, el cual funciona adecuadamente en base a cualquier tipo de aporte ético-moral, político, individual o grupal.

Estas Teorías Sistémicas se centran en resaltar que el castigo al delito debe ser analizado desde un enfoque funcional y dinámico, como si el castigo fuese otra institución social más. Y, además, el foco debe centrarse en las funciones reales de la pena jurídica, examinando para qué sirven y no para qué deberían servir.

La pena cumple entonces, y según defiende este enfoque, una función de prevención integradora; no retributiva, ni de prevención general ni especial, sino que, ya que el delito hiere socialmente a la sociedad, la pena actúa a modo de símbolo en cuanto a la necesaria reacción social. Es decir, esta reaviva los valores sociales infringidos por la sociedad, exponiéndolos como necesarios de un castigo penal, desde el sentimiento global en los ciudadanos. Además, la pena también fomenta los sentimientos de integración y solidaridad frente al criminal, promoviendo la confianza en el sistema.

Por lo tanto, el concepto de Prevención Integradora se opone al resocializador del castigo penal, en aras de todas estas reacciones macrosociales esperadas.

2. LA TEORÍA DE LA ANOMIA DE EMILE DURKHEIM

Emile Durkheim y Robert Merton fueron los primeros autores que utilizaron el término Anomia.

Durkheim introdujo el término de Anomia por primera vez en 1893 para especificar una situación social de Desregulación, que se basa en el hecho de que las reglas de la sociedad que determinan cómo se debe comportar el ser humano se han roto. Esto implicaría que las personas no sabrían qué esperar las unas de las otras. Esta Desregulación sería la causa del acto criminal.

Más tarde Durkheim utilizó el término de Anomia en su, quizá, obra más famosa, El Suicidio, un estudio sobe Sociología, para hacer referencia a una condición social en la que no existen los adecuados controles morales, para que los comportamientos individuales sean prosociales.

Durkheim también especifica que las sociedades son anómicas cuando se produce alguno de los dos hechos siguientes: el primero se daría cuando los ciudadanos desconocen el momento adecuado de abandono de los esfuerzos necesarios para alcanzar el éxito social. El segundo tendría lugar cuando los individuos no saben cómo tratar adecuadamente a los otros en ese camino hacia el triunfo social. Es decir, la Anomia, tanto en un supuesto como en el otro, se refiere a la ruptura de las normas sociales, dándose el hecho de que esas normas sociales ya no controlan a los individuos.

Durkheim también especifica que las sociedades evolucionan a lo largo del tiempo de simples a complejas, en cuanto a las condiciones en las que una persona desarrolla su trabajo y en cuanto a la manera en la que las personas interaccionen entre sí. Las sociedades simples fueron denominadas mecánicas por Durkheim, mientras que las complejas se llamaron orgánicas.

De esta manera, las sociedades mecánicas se caracterizarían por un patrón de comportamiento y pensamiento similar por parte de los individuos, que, en cuanto al trabajo, presentarían las mismas líneas de actuación y especialización y una serie de metas sociales grupales.

Por su parte, las sociedades orgánicas, que son las modernas, presentarían como característica fundamental una gran variedad de relaciones interpersonales, la especialización individual del trabajo y las metas sociales individuales. Esta individualización propia de las sociedades orgánicas generaría una dependencia entre los individuos, para que se dé la producción del trabajo.

Otra característica de la sociedad orgánica es que se trata de una sociedad contractual, en la que las relaciones humanas también son contractuales. Esto quiere decir que los lazos entre las personas ya no son de amistad y parentesco, sino que también son contractuales –como ocurre en general– en la sociedad en la que se desenvuelven.

Estos lazos contractuales se rompen constantemente, por lo que se produce una situación de riesgo de ruptura social o de las normas sociales. Cuando se produce esta ruptura social, se da Anomia. Si las normas sociales no son claras, los individuos no encuentran su lugar en la sociedad, encontrando dificultades a la hora de adaptarse a los cambios sociales. Este hecho conlleva sentimientos de insatisfacción, frustración, conflicto y desviación.

Durkheim estudió las sociedades francesas y europeas tras la Revolución Industrial, dándose cuenta de que las crisis económicas forzaban una situación anómica. Y, lo que es aún más grave, este autor observó que la complejidad social provoca un estado constante de Anomia. La Anomia produce crisis personales, desviación, suicidio y conductas delictivas.

3. LA TEORÍA DE LA ANOMIA DE ROBERT MERTON

La Teoría de Merton se basa en destacar cómo ciertas estructuras sociales presionan a ciertos individuos para emitir una serie de comportamientos de distinta índole, incluida la delictiva.

De la misma manera que Durkheim elaboró su teoría desde la perspectiva de la sociedad europea, Merton centra sus observaciones en la sociedad norteamericana, aunque sus postulados se aplican hoy en día a todo tipo de sistema social.

Según Merton, para que una sociedad sea anómica deben darse tres tipos de características. Por un lado, debe producirse un desequilibrio entre medios y fines, entendiendo los fines como las aspiraciones económicas y de estatus social propias del sueño americano, en el que, además, todo individuo podría conseguir esos éxitos con esfuerzo y talento e independencia de su etnia y origen social. El segundo elemento sería la universalidad de esta definición de fines, y el tercero la desigualdad de oportunidades para conseguirlos. Así, la sociedad norteamericana sería anómica. Esta desigualdad señalada se centraría sobre todo en la descompensación en cuanto a la disponibilidad para utilizar medios legítimos (legales) para obtener los estándares (fines) del sueño americano.

Merton defiende que la estructura cultural de una sociedad determina los objetivos legales hacia los que las personas deben aspirar, así como los medios (siempre legales) para conseguirlos. Pero esta relación no siempre se produce, por lo que se da un desajuste social resultante en actitudes delictivas, en muchas de las ocasiones.

En la sociedad norteamericana, la familia, los amigos, la escuela y los medios de comunicación adoctrinan a los sujetos para que asciendan socialmente y sobre todo monetariamente, despreciardo a aquellos que no lo consiguen o que cesan en su intento. Toda esta presión social conlleva que ciertos individuos se pregunten qué tipo de medios se encuentran a su alcance para obtener el éxito monetario independientemente de que sean legales o ilegales. Así es como se llega a la delincuencia.

Y es que, en estas sociedades, y en concreto en la norteamericana, la desigualdad es tan notable que mientras unos grupos cuentan con toda una serie de oportunidades reales para conseguir el éxito monetario, otros no dispondrán nunca de medios para ello por mucho que lo intenten. Estas son las clases sociales bajas y las personas en situación de marginalidad social.

Para comprender el constructo de Anomia se recomienda al alumno que lo comprenda como tensión. Es decir, una sociedad anómica o «tensionante» provoca tensión o presión anómica en sus habitantes de clase baja, que no pueden llegar a esos fines por los medios legales de los que disponen.

Se debe señalar que, ante esta situación de desventaja, también puede ocurrir que ni siquiera se acepten los fines de éxito monetario que estas sociedades anómicas propugnan. Es decir, la delincuencia no es la única respuesta a ese desajuste entre medios y fines que viene determinada de la sociedad anómica.

A continuación, se describirán las cinco respuestas que según Merton se pueden dar por parte de los individuos ante la tensión o presión anómica social:

- Conformidad: esta es la respuesta que adoptan los sujetos que interiorizan los fines de la sociedad anómica, y los fines legales para conseguirlos. Esta es la respuesta que adopta la mayoría de las personas. Es decir, a pesar del desequilibrio entre medios y fines, se opta por continuar intentando el éxito económico a través de estrategias legales.
- Innovación: esta respuesta consiste en aceptar los fines de éxito económico, pero con medios ilícitos, ya que los lícitos en realidad no sirven. Esta respuesta es la que adoptan los

delincuentes y, en realidad, la mayoría de las personas de clase baja.

- Ritualismo: al contrario de lo que ocurre con la respuesta de Innovación, la de ritualismo abraza los medios lícitos, pero se desprende de los éxitos monetarios que la sociedad anómica vende. Se trata de conductas desviadas, pero no delictivas. Es decir, conductas que se apartan de los cánones de lo que la sociedad dice que es normal, en este caso la persecución del éxito, y ante la cual los demás le considerarán un fracasado.
- Apatía o Retraimiento: el sujeto que adopta esta respuesta se aparta de la consecución de los éxitos que impone la sociedad, como de los medios lícitos de vida. Esta respuesta se suele dar en personas que previamente han adoptado la respuesta de Conformidad, pero que, ante la imposibilidad de conseguir el éxito de manera legal, han adoptado conductas de escape que, finalmente, eliminan el conflicto entre medios y fines. Esta respuesta sería la adoptada por mendigos, alcohólicos, drogadictos, etc. (siempre siguiendo la Teoría de Merton).
- Rebelión: se trata de una respuesta colectiva que se cuestiona los valores en los que se asienta la estructura social. En esta respuesta se encontrarían sustentadas las rebeliones sociales. Una vez más, se trata tanto de conductas meramente desviadas como de comportamientos delictivos.

4. OTRAS TEORÍAS DE LA ANOMIA

Las Teorías de la Anomia de Durkheim y Merton han influido en otras grandes aproximaciones explicativas de la historia de la Criminología, que se apartan del Estructural-Funcionalismo. Por una parte, esta afirmación se refiere a las Teorías de las Subculturas delictivas como la de Cohen y Cloward y Ohlin, y, por otra, a las Teorías del Aprendizaje Social.

4.1. Teoría de Agnew

Robert Agnew aplicó su teoría a la conducta problemática de los menores, explicándola en base a las relaciones de estos con sus familiares, especialmente con sus padres, centrándose en las Teorías de la Tensión Anómica a nivel familiar e individual. Esta teoría también se centra en las emociones y pensamientos que precipitan y mantienen las conductas violentas.

Este autor defendió que la delincuencia es la consecuencia de una respuesta emocional negativa provocada por experiencias y relaciones interpersonales negativas. También señaló que los comportamientos disruptivos pueden producirse por un intento por parte del sujeto de salvaguardar o rescatar estímulos preciosos y finalizar o hacer desaparecer estímulos negativos. Agnew explica que, en este proceso, los individuos pueden tener en cuenta la representación, bien real, o bien anticipada, de estímulos negativamente apreciados como algo a evitar y también la representación mental real o anticipada de la pérdida de elementos positivamente calificados por dichos sujetos.

Agnew explicó que los estímulos que producen una mayor tensión o frustración en los sujetos son aquellos que tienden a ser de elevada magnitud, que aparecen agrupados, que son recientes, que son de larga duración, que se perciben como injustos y causados por –o asociados a– un bajo control social. Estos hechos provocan toda una serie de sentimientos negativos como paso intermedio entre la tensión y la conducta delictiva, siendo estos las emociones de ira, la cual es la sensación que más probabilidades presenta de delincuencia. Esto es así ya que la ira interfiere en los procesos de pensamiento de manera que esta impide sobrellevar el estrés de forma no criminal reduciendo el coste percibido del delito y generando sensaciones de poder, venganza y retribución. Este hecho provocaría la liberación de la tensión experimentada a través de un acto de venganza contra aquellos que han producido un mal al sujeto.

Agnew, ampliando las Teorías Clásicas de la Tensión, como la de Durkheim y Merton, identificó tres tipos de tensiones que podrían generar respuestas delictivas en un sujeto: cuando el individuo no puede conseguir las metas valoradas positivamente por la sociedad (dinero, estatus, etc.), cuando existe una amenaza de desaparición de elementos positivos de la vida del sujeto (muerte de un ser cercano, pérdida de pareja, etc.) y cuando se produce una situación real o solamente una amenaza de aparición de elementos negativos en la vida de este, como, por ejemplo, actos de violencia física, psicológica, etc.

Precisamente la ausencia de un control social informal, así como el vínculo con la meta a obtener, la existencia de valores o identidades que se ven amenazadas en una situación concreta, la ausencia de estrategias de afrontamiento, etc., marcaría la diferencia en el hecho de que ante la tensión algunos sujetos emitan conductas delictivas y otros no. Aunque no solamente los factores señalados tendrían que ver con esta diferencia, sino también, y sobre todo, los rasgos de personalidad de los diferentes sujetos.

Según Agnew, aquellos factores de tipo negativo como la ira o la impulsividad, o la tendencia a la toma de riesgos, serían los que facilitarían una respuesta disruptiva ante situaciones de tensión.

Para finalizar, este autor especifica que este tipo de rasgos de personalidad se deberían a la existencia de un maltrato recibido, a una supervisión deficiente o estricta de la conducta y/o a la existencia de vínculos pobres con los padres.

5. VALORACIÓN CRÍTICA

La Teoría de la Anomia ha sido criticada por la implicación del hecho de que las personas pobres y con una mayor descompensación entre medios y fines presentarían una mayor predisposición a ser delincuentes. Esto ha sido criticado por lo discriminatorio del postulado y por la ausencia de validez empírica.

Este hecho ya fue criticado en su época por Sutherland al describir y poner de manifiesto la existencia del Delito de Cuello Blanco, que se caracteriza por realizarse desde las empresas a través de empleados en posiciones alejadas de la pobreza o por la propia organización.

Investigaciones específicas sobre este hecho también han demostrado que la pobreza no se encuentra siempre presente, ni es característica de los sujetos infractores, al igual que no siempre se ha hallado el dato que indicaría que aquellos con un equilibrio entre medios y fines no se lancen al acto delictivo por norma.

Sin embargo, algo que sí se ha hallado desde las Teorías del Control correlacionado con la delincuencia es el hecho de que el sujeto presente unas aspiraciones y expectativas económicas y sociales bajas. De la misma manera, desde esta teoría se ha hallado una correlación pequeña entre clase social y delincuencia. Esto quiere decir que, de los casos estudiados en estas investigaciones, en muy pocas ocasiones los delincuentes pertenecían a una clase social baja y también en muy pocas ocasiones se ha hallado en estos un nivel económico bajo.

Estos datos que se acaban de mostrar, y que se oponen a lo defendido por la Teoría de la Anomia, también han sido rebatidos. Este debate proviene del hecho de que las mediciones individuales del delito no se pueden equiparar a lo que defienden las Teorías de la Anomia de Durkheim y Merton, que son teorías de tal calado macrosocial que solamente se pueden tomar como postulados referidos a fuentes de presión social, que se reflejarían de alguna manera en las conductas y tasas delictivas de un determinado tipo de sociedades contemporáneas. Es decir, de sociedades postindustriales, capitalistas y que se caracterizan, como todas estas sociedades, por las crisis económicas.

En este sentido, y siguiendo con la defensa de las aportaciones de la Anomia, se ha recalcado el hecho de que lo que la Anomia explica es que una sociedad de este tipo presenta una mayor prevalencia de delincuencia proveniente de personas en situaciones económicas más desfavorecidas.

Todas estas discrepancias obedecen a diferentes planteamientos metodológicos, a distintas definiciones sobre el objeto de estudio y la disparidad de variables investigadas, además de a la validez y representatividad de las muestras tenidas en cuenta para este tipo de trabajos empíricos.

A pesar de que las Teorías de la Anomia sufrieron un descenso de popularidad en los años 80, estas experimentaron después un repunte con la incorporación de teorías de índole individual, como la de Agnew (mostrada en este tema). Además, se está comenzando a aplicar la Teoría de la Anomia para explicar la Delincuencia Económica.

El hecho de que la Anomia (traducida como frustración o tensión) se aplique a nivel microsociológico, o incluso individual, ha generado también todo un debate sobre la idoneidad de la consideración de este término de manera únicamente social o también de manera individual.

Sea como fuere, se puede aceptar que la Anomia ha sufrido una evolución teórica de alcance tan extenso y diverso que no se ha quedado estancada en los posicionamientos de Durkheim y Merton en ningún momento.

La Anomia, además de ser un concepto que explica el crimen, también es un término que explica toda una serie de acontecimientos sociales, propios de las sociedades occidentales modernas, algo que le proporciona a este concepto un gran valor teórico y empírico.

No se deben olvidar las implicaciones de política criminal que se desprenden de la Teoría de la Anomia. Así, a nivel macrosocial, se ha propuesto una ampliación de las oportunidades para ascender de manera socioeconómica. Por otra parte, también se

ha defendido que se debe cuestionar el sueño americano fomentando valores alternativos a los económicos.

A nivel microsocial o individual, las propuestas se han centrado en la promoción de un entrenamiento para adquirir o mejorar las habilidades de afrontamiento hacia la frustración, entrenamientos estos de gran tradición terapéutica.

Para finalizar este tema, se debe señalar que existe un planteamiento actual desarrollado por Messner y Rosenfeld, que utiliza el concepto de Anomia para explicar las diferencias entre Estados Unidos y Europa en cuanto a las tasas de criminalidad.

6. REFERENCIAS BIBLIOGRÁFICAS

Cid, J. y Larrauri, E. (2001). Teorías Criminológicas. Barcelona: Bosch.

Sutherland, E. H. (1999). El Delito de Cuello Blanco. Madrid: La Piqueta.

Williams, F. P. y McShane, M. D. (2014). Criminological Theory. USA: Pearson.

Capitulo VIII
Las subculturas delictivas

1. EL CONCEPTO DE SUBCULTURA Y TEORÍAS SUBCULTURALES

Todos formamos parte de un grupo social amplio, con el que, de una manera u otra, compartimos ideales, normas, valores, sentimiento de pertenencia, etc. Pero dentro de este nivel macrosociológico surgen grupos más reducidos que, aun compartiendo muchos elementos con ese gran grupo de referencia, se distinguen de él por desmarcarse de alguna manera en alguna cuestión relevante. Es en este caso en el que se habla de Subculturas.

Si estas Subculturas abrazan y defienden las actitudes delictivas, nos encontramos ante Subculturas Delictivas. A este respecto, es necesario señalar que las Subculturas no carecen de normas, sino que siguen las suyas propias. Los valores de las Subculturas también existen y son internos al grupo, aunque no coincidan con los mayoritarios. También se debe destacar que estos grupos intentan que sus valores prevalezcan sobre los demás, siendo la conducta delictiva producto del conjunto de estos valores.

Cuando en Criminología se aborda el tema de las Subculturas Delictivas -aunque no exclusivamente- el estudio se suele centrar en la delincuencia juvenil, y más en concreto en las bandas juveniles.

Para comprender el estudio criminológico de las Subculturas Delictivas, se debe tener en cuenta que se no se aborda en ningún caso la delincuencia individualizada y que la variable que aborda el apoyo del grupo en al acto criminal es indispensable.

Las Teorías de las Subculturas Delictivas se basan en dos fundamentos teóricos anteriores a estas: es decir, la Teoría de la Anomia y la Teoría de la Asociación Diferencial. De la Teoría de la Anomia se adopta la idea de que los jóvenes de clase baja pertenecientes a las ciudades abrazan el comportamiento delictivo para obtener las metas deseadas, y de la Teoría de la Asociación Diferencial se adopta la idea de que en grupos reducidos se aprenden actitudes pro-delictivas.

2. TEORÍA DE LAS SUBCULTURAS EXPRESIVAS DE COHEN

Albert Cohen en su obra Delinquent boys: The culture of the gang de 1955 estudió por primera vez cómo se inician las Subculturas Delictivas en Estados Unidos. En su explicación Cohen se nutrió de trabajos anteriores, como los de Shaw y McKay, y Merton y Sutherland (que estudiaremos en el tema «Teorías del Proceso Social»).

Tras examinar los estudios sobre delincuencia juvenil que se habían llevado a cabo con anterioridad a su trabajo, Cohen descubrió que esta suele darse en sujetos de clase baja y de manera organizada: es decir, en bandas juveniles y delictivas. A estos los denominó Subcultura Expresiva. Aunque este autor distingue diferentes tipos de Subculturas, su obra se centró en el estudio de esta.

Cohen también caracterizó la delincuencia en estos grupos como no utilitaria, maliciosa y negativista. Los actos de estos delincuentes no serían racionales y solamente perseguirían el gusto en el disgusto de los otros. Se trataría, además, de conductas delictivas versátiles y sin ningún tipo de especialización, que buscan la satisfacción a corto plazo, el hedonismo y la hostilidad hacia aquellos externos al grupo delictivo.

Por otra parte, el comportamiento criminal de estos jóvenes agrupados busca el estatus dentro de la Subcultura Delictiva a la que pertenecen, siendo este y los factores anteriormente señalados las variables que debe explicar una Teoría de las Subculturas Delictivas.

El joven de clase baja aspiraría a las metas de los jóvenes de clase media, que, para él, resultarían un camino poblado de numerosas dificultades. Al no poder acceder a estos fines, estos menores se burlarían de los valores de la clase media. Pero lo que se encontraría en el fondo del comportamiento delictivo de estos jóvenes sería la Frustración de Estatus; es decir, la imposibilidad de alcanzar esas metas de clase media con los medios propios de la clase baja, que no son adecuados, ni material ni simbólicamente.

Cohen explica que el sistema educativo tiene mucho que ver con esa Frustración de Estatus que se encuentra en la base de la conducta delictiva. Es decir, en la escuela, tanto los jóvenes de clase baja como los de clase media deben aspirar a las mismas metas.

Los primeros deben competir con los segundos, pero las líneas de evaluación por parte de los profesionales de la enseñanza persiguen valores como la habilidad para la tolerancia hacia la frustración, la tolerancia con el retraso del reforzamiento, el compañerismo, la orientación hacia metas a largo plazo y el respeto por la propiedad privada. Estas conductas son fáciles para aquellos de clase media, no siéndolo para los de clase baja.

El motivo de esta dificultad reside en el hecho de que los padres de clase baja tampoco han sabido educar a sus hijos en estos aspectos, que para ellos también resultan de gran dificultad. De esta manera se pierde el respeto hacia la clase media y se produce una confrontación con esta, además de la ya mencionada Frustración de Estatus. Esta idea conlleva una de las mayores premisas de la Teoría de las Subculturas Expresivas de Cohen, y es que los jóvenes de estas bandas no buscan el mérito económico, sino que persiguen el mérito de estatus. Es decir, la delincuencia juvenil se centra en la obtención de un estatus que viene reconocido por los miembros de su grupo delictivo y no por la obtención de bienes materiales.

Además, los valores de la clase media, a los que se supone que deben aspirar sin contar con los medios legales para hacerlo, provocarían esa Frustración de Estatus, que significaría el salto hacia la delincuencia.

Cohen también especifica que cuanto mayor sea la Frustración de Estatus, y el contacto con grupos delictivos, más probable será la involucración con estas subculturas y la adopción de sus definiciones y conductas hacia la delincuencia.

Al final, las Subculturas Delictivas y la interacción con ellas se presentan como una solución a todos los problemas de los jóvenes de clase baja.

Aunque la tesis de Cohen es sociológica, este autor no niega la influencia de otro tipo de factores intervinientes en la explicación del delito, como los factores psicogenéticos.

Cohen también hace hincapié en que lo importante es la causa de las Subculturas y su génesis y no tanto por qué un joven pasa a formar parte de una. Los jóvenes, ante esos valores de clase media que son incapaces de conseguir, podrían optar también por respuestas de adaptación o pacto, pero en muchas ocasiones optan por la respuesta de rebeldía que caracterizaría el contacto con las Subculturas Delictivas Expresivas, ya que estas no pactan ni toleran ambigüedades.

Proceso de formación y contacto con la subcultura delictiva expresiva (Cohen)
1. Los miembros de la sociedad comparten los mismos valores, los cuales son propios de la clase media en la cultura norteamericana.
2. Los valores de la sociedad suelen orientarse a la obtención de un cierto estatus (el cual es una meta social).
3. Las oportunidades para conseguir la meta de estatus son más fáciles para la clase media.

4. Las instituciones sociales, en especial la educativa, reflejan y evalúan los valores de la clase media.
5. Por la ausencia de medios para conseguir el estatus y los valores de la clase media, los jóvenes de clase baja erran en la escuela y sufren una Frustración de Estatus.
6. Los jóvenes de clase baja se rebelan contra la clase media manteniendo la meta de estatus de esta última.
7. Durante un período de tiempo, y en conjunto, los jóvenes de clase baja crean nuevos valores en oposición a los de la clase media, dentro de grupos subculturales. Estos nuevos valores, que no son convencionales, permiten a estos jóvenes la obtención de estatus.
8. Cuando la solución es delictiva, esta se transmite de joven a joven y de generación en generación, manteniendo la Subcultura que provee de estatus a los jóvenes de su grupo. Ahora se persigue el estatus dentro del grupo.

Tabla 1. Proceso de formación y contacto con la Subcultura Delictiva según Cohen.

Fuente: Williams y McShane (2014).

3. TEORÍA DE LAS SUBCULTURAS DE CLOWARD Y OHLIN

Cloward y Ohlin explican en su teoría la causa de la aparición de las Subculturas Delictivas, pero no solamente en jóvenes, sino que también explican las Subculturas adultas y el paso de las primeras hacia estas segundas.

Además, en esta teoría no solamente se hace referencia a las Subculturas Expresivas, sino que también se explica la Subcultura Instrumental, la Evasiva y la Conflictiva. Estos autores coinciden con Cohen en cuanto al proceso por el que surgen las Subculturas Delictivas. Las bandas en las que se centró este Cohen, que se denominan Subculturas Expresivas, son utilizadas por Cloward y

Ohlin como punto de partida para explicar el nacimiento de otro tipo de Subcultura que denominan Subcultura Instrumental.

Cloward y Ohlin parten de la idea de Cohen de que los barrios pobres donde es imposible alcanzar las metas de estatus propias de la clase media ofrecen oportunidades en cuanto al estatus, pero dentro de una Subcultura y con otra serie de valores a alcanzar, que no son los convencionales y que se oponen a los de la clase media, que, al fin y al cabo, les han sido impuestos.

En estos barrios se da más fácilmente una «estructura» de oportunidades ilícitas. Las características de estos barrios serían, por una parte, la existencia de delincuentes adultos, que además se perciben como hombres con éxito social y económico. Así, estos sujetos representarían un rol a imitar para los jóvenes de estas zonas. Otra característica de estos barrios proclives a las Subculturas Delictivas es el hecho de que se pueda producir una integración entre el joven y la actividad delictiva de los adultos. Es decir, las relaciones sociales y la comunicación entre menores y mayores delictivos debe ser real y fluida. En esta interacción se aprenderían las técnicas delictivas y los valores pro-delictivos.

La tercera característica de estos barrios cuna de las Subculturas Delictivas se daría cuando se produce una interacción entre el mundo legal y el mundo ilegal y, además, un apoyo a la criminalidad. Este apoyo vendría dado, por ejemplo, de la compraventa de artículos robados y de la protección por parte de funcionarios corruptos.

El primer contacto con la Subcultura por parte de los jóvenes se puede transformar con el tiempo en una delincuencia profesionalizada y en el menor convirtiéndose en un delincuente de carrera. Esta Subcultura adulta y profesionalizada es la que Cloward y Ohlin denominan Subcultura Instrumental.

En este paso hacia la delincuencia adulta el joven abandonaría la criminalidad de la Subcultura Expresiva y no utilitarista (recuérdese la descripción de Cohen sobre este tipo de banda) para evolucionar hacia una delincuencia especializada, instrumental, organizada, disciplinada y orientada hacia el delito como profesión. Se trataría de una Subcultura controlada por la vida adulta en su totalidad.

Por otra parte, Cloward y Ohlin también defienden que no siempre se da la oportunidad de la actividad ilegal en este tipo de barrios. En estos casos, los jóvenes que se encuentran en esta situación no pueden involucrarse en una Subcultura Expresiva y menos aún evolucionar hacia una Subcultura Instrumental. La solución para estos menores es la de las Subculturas Conflictuales, las cuales se basan en la exhibición de la fuerza física, traducida en peleas de bandas, que acaban resultando en grupos de fácil detención por la policía.

La Subcultura Conflictual se caracteriza también por propugnar el valor de la masculinidad y la defensa del honor de la banda ante cualquier ofensa o provocación. Esta Subcultura no suele ser muy duradera por su ausencia de organización y por el hecho de que este tipo de comportamientos orientados únicamente hacia la exhibición de la fuerza física solo generan estatus en los años de la adolescencia.

Otro escenario descrito por Cloward y Ohlin es el de los jóvenes que, ante la Frustración de Estatus, prefieren la apatía y la evasión en el mundo de las drogas. Se trata de las Subculturas Evasivas.

Las Subculturas Evasivas estarían formadas por sujetos que fracasan en el mundo legal y también en el ilegal y por personas que no consiguen el estatus de la clase media deseada por todos los jóvenes de las zonas desfavorecidas, pero que se niegan a abrazar el mundo de la delincuencia. Clowar y Olhin también especifican en cuanto a la Subcultura Evasiva que, a pesar de que el hábito del consumo necesita de la interacción con otros para la compra de sustancias o, por ejemplo, para conocer a otros consumidores que llevan a cabo la tarea de introducir al sujeto en el mundo del consumo de drogas, los jóvenes de la Subcultura Evasiva son muy solitarios, comportándose de manera muy individualizada.

4. OTRAS TEORÍAS SUBCULTURALES

Las teorías de Cohen y Cloward y Ohlin son las más famosas dentro de las explicaciones subculturales de la delincuencia. Pero se deben destacar también otros trabajos. Siguiendo a Williams y McShane, estos se muestran a continuación.

4.1. La Teoría de Miller

Tras el trabajo de Cohen, Miller examinó las clases socioeconómicas bajas de Boston, llegando a sus propias conclusiones sobre este tipo de zonas y sus actividades delictivas.

Utilizando la técnica de la Etnografía, que consiste en observar los grupos de estudio en su ambiente natural, Miller llegó a la conclusión de que los valores de la clase media no correlacionaban con la delincuencia de grupos de clase baja. Aun así, Miller sí halló otras diferencias en los estilos de vida entre ambas clases sociales.

A diferencia de las teorías de Cohen y Cloward y Ohlin, en lugar de hacer referencia a los valores de las clases sociales, Miller utilizó el concepto de Preocupación Focal para explicar el funcionamiento de las Subculturas. Las Preocupaciones Focales, según este autor, serían aquellos aspectos propios de una Subcultura que requieren de una atención constante (este término se podría sustituir por el de «meta»). Las conductas en torno a las Preocupaciones Focales pueden ser valoradas o no valoradas de manera positiva o negativa, dependiendo de la situación y las personas concretas involucradas.

Miller especifica que las clases bajas difieren de –pero también comparten– ciertas características y preocupaciones con otras clases sociales. Aun así, el sistema legal y moral de Estados Unidos se adaptaría mejor a las características de las clases media y alta, lo que provocaría que ciertos comportamientos valorados como normales por las clases bajas se viesen inapropiados por el sistema legal y moral del país.

Las clases bajas, al igual que ocurre en el resto de las clases sociales, enseñan modelos de comportamiento, habilidades, rasgos y características imprescindibles para el éxito social dentro de su propio grupo. Los comportamientos sociales de la clase baja se orientan a la consecución de esas Preocupaciones Focales que se encuentran interiorizadas por la mayoría de los sujetos. Así, las conductas delictivas de estas personas vendrían motivadas por el deseo de esas Preocupaciones Focales de la clase baja, sin tener esto nada que ver con las Preocupaciones Focales de las clases medias.

Las preocupaciones de las clases bajas, según el estudio de Miller, serían:

1. Molestia: esta es la preocupación por llegar a ser un problema para los demás, o llegar a violar la ley.

2. Dureza: refiriéndose esta Preocupación Focal a un comportamiento «de macho», valiente y desafiante.

3. Inteligencia: en este caso, Miller se refiere a actitudes astutas, la supervivencia en base a la propia agudeza mental, y al engaño a otros.

4. Entusiasmo: esta Preocupación Focal se encamina a la búsqueda de sensaciones en la vida, la persecución de peligros y la toma de riesgos.

5. Destino: haciendo referencia esta característica a la creencia en la fortuna y en la suerte.

6. Autonomía: esta Preocupación Focal se refiere al hecho de no depender de los demás e incluso desafiar la ley y además llevar una vida totalmente independiente.

Estas Preocupaciones Focales tienen mucho que ver en el desempeño de actividades ilegales, ya que se viviría con el objetivo de conseguir su consecución. Y es que, en las clases bajas, los incentivos para delinquir suelen ser superiores en comparación con los incentivos para llevar a cabo las conductas contrarias. Estos incentivos interaccionan con las Preocupaciones Focales, desencadenando una vida caracterizada por la ilegalidad, De todos modos, Miller señala que, a pesar de la interacción entre incentivos y Preocupaciones Focales, la mayoría de los sujetos de clase baja llevan vidas convencionales.

Miller explicó también que en los barrios de clase baja aparece un elevado índice de familias monoparentales formadas por la madre y el/los hijos. Los jóvenes, entonces, intentarían aprender el rol de hombre «macho» de un padre que no se encuentra presente, conduciendo esto a la incursión en bandas, las cuales solucionarían ese problema de alguna manera (siempre desde la perspectiva del autor y teniendo en cuenta su momento sociotemporal).

Según Miller, la actividad delictiva se vería como la forma de conseguir ese rol masculino que se promueve en estos barrios. Además, el hecho de pertenecer a una banda o Subcultura facilita la obtención de una serie de beneficios psicológicos, tales como el sentimiento de pertenencia y cierto estatus.

4.2. Teoría de Wolfgan y Farracuti

Wolfgang y Ferracuti desarrollaron su teoría en 1967, desde el trabajo previo de Wolfgang sobre el homicidio.

La teoría de estos autores fue un intento de integrar una gran variedad de perspectivas criminológicas para comprender el comportamiento delictivo. Y en el caso de la explicación de la Subcultura Delictiva, estos autores también siguieron esta premisa.

La Teoría de Wolfgang y Ferracuti integra, para la delincuencia de bandas, la Teoría sobre la cultura del conflicto, la Asociación diferencial, las Teorías de la Cultura Social y la Teoría de la personalidad. Pero estos autores también incluyeron otras perspectivas psicológicas para dar cuenta de las Subculturas Delictivas, siendo las elegidas las del condicionamiento, el aprendizaje, el desarrollo evolutivo y la identificación diferencial.

La explicación de estos autores sobre las Subculturas Delictivas argumenta que, aunque los miembros de estas estén en posesión de valores diferentes de aquellos que dominan en la sociedad, estos no se tendrían por qué encontrar necesariamente en conflicto entre sí, algo que sí ocurriría en aquellos que forman parte de una subcultura Delictiva, que aprenderían actitudes pro-violencia. Estas actitudes se pueden dar en cualquier momento, pero, sobre todo, tendrían lugar en el período comprendido entre la adolescencia tardía y la mediana edad.

Estos autores también especifican que se da una criminalidad fuera de las bandas o Subculturas Delictivas. En estos casos nos encontraríamos ante personalidades patológicas, que además presentarían sentimientos de culpabilidad y ansiedad de manera más pronunciada, en comparación con lo que se podría observar en sujetos pertenecientes a Subculturas.

5. CRÍTICAS Y VALORACIONES A LAS TEORÍAS DE LAS SUBCULTURAS

Al igual que ocurre con todas las Teorías Criminológicas, las de las Subculturas Delictivas han recibido críticas.

La Teoría de las Subculturas Expresivas ha sido fuertemente criticada por su déficit empírico y su monolitismo en cuanto al concepto de Subcultura, además de por su ambigüedad.

En el caso de la Teoría de Cloward y Ohlin, las críticas han venido de la mano de la metodología de investigación utilizada y de los resultados contradictorios de sus estudios.

Estas dos teorías también se han caracterizado por la complejidad de su clasificación. Siguiendo a Williams y McShane, se observa que, por un lado, la Teoría de Cohen parte de la idea de que se producen ciertas conductas que deben explicarse desde el concepto de Subcultura. Para ello, Cohen se centra en la Teoría de Merton o Teoría de la Tensión. Es decir, la explicación de la estructura social sería el punto de partida, a partir del cual se describe cómo se forman las Subculturas.

Precisamente debido a esto, y aunque se da por sentado que la Teoría de Cohen es de corte sociológico, también se la ha intentado clasificar como una Teoría de la Tensión y también como una Teoría Estructural. Siendo todo esto verdad, Cohen se centra en el proceso por el que se crea una Subcultura, haciendo referencia a la Escuela de Chicago, por lo que su clasificación se hace difícil. Y es que el mismo Cohen señala que su teoría, además de ser de la Tensión y Estructural, enfatiza el papel del proceso y de la interacción, ya que, en la medida en la que un individuo accede e interacciona con otros en la misma situación de tensión, se determina la manera en la que ese sujeto se enfrenta a su situación «tensionante».

En cuanto a la Teoría de Cloward y Ohlin, esta suele clasificarse también como Teoría de la Tensión, pero, al igual que ocurre con el enfoque de Cohen, también se aprecian elementos de la Teoría Estructural y de la Teoría el Proceso Social, combinando la Teoría de la Anomia con los postulados de esta última especificados por la Escuela de Chicago. Además, en la Teoría de Cloward y Ohlin, también se aprecian características de la Teoría de la Asociación Diferencial.

Aun así, se puede defender la idea de que la Teoría de Colward y Ohlin tiende sobre todo hacia el Enfoque Estructural, el cual se centra en cómo la criminalidad se transmite. Se trataría entonces la aproximación de Cloward y Ohlin de una que tiende hacia la explicación de tipo macrosocial.

6. REFERENCIAS BIBLIOGRÁFICAS

Cid, J. y Larrauri, E. (2001). Teorías Criminológicas. Barcelona: Bosch.

García-Pablos, A. (2016). Criminología. Una introducción a sus fundamentos teóricos. Valencia: Tirant lo Blanch.

Williams, F. P. y McShane, M. D. (2014). Criminological Theory. USA: Pearson.

Capítulo IX

Teorías del proceso social

1. TEORÍAS DEL PROCESO SOCIAL

Las Teorías del Proceso Social implican, por lo tanto, que los seres humanos son sociales y que viven en grupos en los cuales las relaciones sociales se dan constantemente. Esta interacción es la que llevaría al delito.

Se debe señalar que las Teorías del Proceso Social son varias y, por lo tanto, difieren en algunos aspectos que se refieren al individuo. En unos casos se entiende que los seres humanos han nacido como un lienzo en blanco en el que las interacciones sociales escriben los resultados sociales de los sujetos, incluido el resultado último de la vida criminal, mientras que, en otros, se asume que los procesos sociales erran en detener y reconducir la propensión innata a la delincuencia.

De esta manera, se distinguirán dos tipos de Teorías del Proceso Social. Las primeras serán las Teorías del Aprendizaje de conductas delictivas, que, de alguna manera, ya se han introducido en el tema «Modelos psicologicistas: Teorías del Aprendizaje, Teorías del Aprendizaje Social y Teoría de Feldman», aunque, en este caso, el Aprendizaje Social que se explicará obedece a unos mecanismos diferentes, encontrándose estos más orientados hacia el Interaccionismo Simbólico que se desarrolló a partir de la Escuela de Chicago.

El segundo tipo de teorías son las denominadas Teorías del Control, y se centran en ese proceso, anteriormente señalado, en el que las estructuras sociales (familia, barrio, escuela, etc.) en interacción con el individuo deben enseñar a no delinquir desde la infancia.

2. TEORÍAS DEL APRENDIZAJE

En este apartado se explicarán varias aproximaciones teóricas desde el aprendizaje, comenzando con la Teoría de Sutherland, que es una de las más famosas y con más vigencia hoy en día por su explicación del Delito de Cuello Blanco.

2.1. Teoría de la Asociación Diferencial de Shutterland

Sutherland explicó y puso nombre al Delito de Cuello Blando en 1939, en la convención de la Asociación Americana de Sociología, abriendo el camino no solamente a un nuevo tipo de delito, sino también a una explicación criminal que denominó Asociación Diferencial.

Las obras principales de Sutherland son *Delito de Cuello Blanco* y *Principles of Criminology*.

La Teoría de la Asociación Diferencial propone que la delincuencia no está causada por la pobreza ni la inadaptación de las clases bajas, como se defendía hasta el momento, sino por un aprendizaje de la criminalidad que se puede dar en cualquier clase social. En este aprendizaje se transmitirían valores y técnicas delictivas.

Sutherland defiende que los enfoques basados en las explicaciones genéticas y psicologicistas también son necesarios para entender el fenómeno delictivo, pero que, en estos casos, se hablaría de una patología que sí tendría su base en la pobreza, y que serían otro tipo de explicaciones, aparte de la general que él propone.

Siguiendo con la explicación de la Asociación Diferencial de Sutherland, este enfatiza la importancia de la oportunidad para delinquir, pero más importante es incluso cómo los sujetos interpretan esas situaciones. Y es que una misma situación puede ser diferente para dos individuos dependiendo de su situación personal. En este postulado Sutherland hace referencia directa al

Interaccionismo Simbólico, desarrollado por varios autores de la Escuela de Chicago.

Recuérdese que el Interaccionismo Simbólico argumenta que las personas construyen definiciones de las situaciones o de sus experiencias. Estos significados son particulares y se generalizan en un modo personal de vivir y explicar los acontecimientos que llegan y provocan las personas. En base a estas definiciones o simbolismos, las personas se comportan de maneras diferentes ante situaciones semejantes. Por esto motivo, Sutherland se centrará en las causas por las que unas personas se implican en actividades delictivas y otras no, defendiendo en este punto que las teorías sociológicas que pretenden dar una explicación general de la delincuencia deben aceptar un cierto grado de individualidad, que vendría dado por esos significados o símbolos personales y que describiría en las revisiones posteriores a su teoría.

Por otra parte, y en cuanto al Aprendizaje Diferencial, Sutherland defiende la existencia de dos elementos que propician este proceso. Por una parte, el factor que identifica el contenido de aquello que se aprende; es decir, las técnicas de comisión de los delitos, los motivos y actitudes para ello y las definiciones favorables a la delincuencia. Y, por otra parte, el elemento que hace referencia al proceso mediante el que se aprende todo esto en interacción con ciertos grupos.

La Teoría de Sutherland se puede resumir de la siguiente manera:

- La conducta delictiva es aprendida, y se aprende en interacción comunicativa con otras personas y en grupos íntimos. No solamente se aprenden definiciones favorables a la delincuencia, sino que también se aprenden las técnicas delictivas y los motivos para ellas. Los individuos, entonces, se convierten en delincuentes por Asociación Diferencial o contacto con definiciones contrarias a la ley.
- La Asociación Diferencial puede variar en frecuencia, duración, prioridad e intensidad. Además, la delincuencia se

aprende por los distintos mecanismos de aprendizaje que también explican la adquisición de cualquier otro tipo de conducta.

- Por último, Sutherland especifica que los motivos y necesidades clásicas en los que se tiende al placer y a la evitación de las incomodidades no sirven para explicar el acto criminal.

Como se ha señalado, Sutherland investigó la Delincuencia de Cuello Blanco, por lo que observó directamente ese postulado de su teoría de que la criminalidad se puede dar en cualquier clase social.

Al igual que todas las teorías, la de Sutherland también recibió críticas. En este caso, estas vinieron dadas por la vaguedad de sus postulados, su déficit empírico y los niveles de abstracción. Sobre estos aspectos Sutherland hizo precisiones en las posteriores investigaciones sobre su teoría, llegando en ese punto a reconocer la importancia de los factores individuales y de otro tipo de procesos sociales.

En la actualidad la Teoría de la Asociación Diferencial se completa con la Teoría del Aprendizaje Social, que incluye los principios del conductismo. La aproximación de Sutherland en estos momentos se podría explicar en los siguientes puntos:

1. Asociación Diferencial: este sería el proceso por el cual un sujeto se encontraría expuesto a definiciones favorables a infringir o no la ley. Los grupos fundamentales para esto sería los grupos primarios (familia o amigos) o secundarios (escuela, vecinos o medios de comunicación). Es en estos colectivos donde se produciría el aprendizaje social, ya que en ellos se fomentan valores y modelos de conducta.

2. Definiciones: estas serían los significados que un sujeto vincularía a determinados actos y que los presentarían como aceptables, deseables o justificados. Cuanto más se desaprueba un acto concreto, menos posibilidades se darán de que este se realice, y al contrario. Generalmente las definiciones son contrarias a la realización de un delito, pero, si

son favorables (lo presentan como deseable o permitido) o neutralizadoras (lo justifican o excusan), este se realizará. Estas definiciones se mantendrán finalmente a través de la imitación (por el refuerzo diferencial).

3. Refuerzo diferencial: se trataría del balance percibido entre premios y castigos como consecuencia de determinados actos. El comportamiento dependerá entonces de la cantidad, frecuencia y probabilidad de los refuerzos. Estos serían en general refuerzos sociales, que se aprenderían en grupos y lo dotarían de significado.
4. Imitación: a veces el sujeto lleva a cabo un comportamiento al ver que otro lo hace. Ello dependería de lo influyente que sea el modelo para el sujeto y de las consecuencias que se observan en él tras la consecución del acto criminal. La imitación es más importante para explicar el inicio del comportamiento delictivo que la persistencia de este, y esta se explicaría mejor a través del Refuerzo Diferencial.

2.2. Técnicas de la Neutralización de Sykes y Matza

En el punto 2 previo (Definiciones) sobre el proceso explicativo de la Teoría de la Asociación Diferencial se ha hecho referencia a «definiciones neutralizadoras». Estas, que se denominan Técnicas de Neutralización, fueron descritas por Sykes y Matza, explicando que se trata de justificaciones que los delincuentes llevan a cabo hacia sí mismos y hacia los demás por el delito cometido.

En relación con la Teoría de la Asociación Diferencial, lo que ocurriría es que los sujetos aprenden las definiciones aceptables para la delincuencia, además de las técnicas para llevarlas a cabo, completándose el proceso, con la aplicación personal y hacia los demás, de las Técnicas de Neutralización.

Estas Técnicas de Neutralización son cinco y se detallan a continuación:

1. La negación de la responsabilidad: el sujeto defiende que no actúa libremente en su comportamiento criminal, sino que lo hace por la influencia de factores externos que se encuentran fuera de su control. Este es el caso en el que la delincuencia se justifica por el influjo de las malas compañías, la ausencia de afecto por parte de los padres, la residencia en barrios conflictivos y con pocos recursos económicos, etc.

2. La negación del daño: en este caso el delincuente puede reconocer su responsabilidad, pero no hacer lo mismo en cuanto al daño que implica su delito. Este puede ser clasificado de muchas maneras. Es decir, el delincuente considera que su delito es una travesura, que el dueño de los bienes afectados puede correr con el daño o, en su defecto, lo hará el seguro, y por lo tanto el daño no es real, que las peleas callejeras serían duelos acordados por ambas partes, y por lo tanto no se genera ningún daño no pactado y aceptado, etc. El delincuente es consciente de que transgrede las leyes, pero piensa que no es para tanto.

3. La negación de la víctima: cuando el delincuente asume que ha cometido un delito puede ser que asuma el rol de vengador y considere que la víctima merecía el daño causado por el crimen. En este caso nos encontraríamos, por ejemplo, ante ataques hacia homosexuales, transexuales, profesores «injustos», simpatizantes de una ideología política, etc. De esta forma se niega la existencia de la víctima y el delito queda moralmente justificado. También se suele dar esta Técnica de Neutralización en los casos en los que la víctima no está presente o es lo suficientemente abstracta como para no producir una interferencia fuerte en el delincuente. Por ejemplo, fraudes a Hacienda, vandalismo en una zona abandonada, etc.

4. La condena a quien condena: en esta ocasión el delincuente defiende que quienes le condenan son falsos y también desviados encubiertos. En este caso los infractores harían

referencia a policías corruptos, profesores con alumnos preferidos, padres injustos hacia sus hijos, etc. Atacando y delinquiendo contra estos individuos, el infractor logra que su acción se pierda de vista más fácilmente.

5. La apelación a lealtades superiores: se trata de delitos cuyos autores apelan a lealtades superiores al cumplimiento de la ley para justificar su actividad delincuencial. Es decir, el control social se puede neutralizar, de manera que, aunque no se rechace el orden legal dominante, se niegue su respeto por una causa más importante. El delincuente, por lo tanto, considera que existen dos tipos de normas, la legal, y la personal. En este caso nos encontraríamos ante delincuentes que justifican sus crímenes por ayudar a un compañero, por el gran bien social, porque la amistad es lo primero, etc.

2.3. Concepto de Deriva de Matza

Además de las Técnicas de Neutralización, Matza desarrolló el concepto de Deriva, que se relaciona con esas definiciones que Sutherland describía como el punto de partida para la adquisición de valores proclives a la delincuencia. Matza centró este concepto en el estudio de la delincuencia juvenil.

Con la Deriva, Matza recupera el elemento de elección por parte del delincuente. Y es que la Deriva es una situación en la que el joven se encuentra expuesto a valores proclives a la delincuencia y también a definiciones contrarias a ella. Pero no solamente esto, sino que, la Deriva, también es un estado en el que el individuo no se encuentra obligado ni comprometido a cometer actos delictivos, pero tampoco es libre de elegirlos. Es decir, la Deriva se encuentra a medio camino entre el control y la libertad.

De esta manera, el delincuente juvenil participa de manera activa en una amplia variedad de conductas convencionales y en una gran variedad, también, de conductas ilegales, sin comprometerse con ningún estilo de vida.

La Deriva también comprende el hecho de que produce el retraso en cuanto a la elección de un compromiso con la forma de vida convencional o delictiva por parte del joven. De esta manera, el sujeto puede ir y venir de un estilo de vida a otro sin definirse, y respondiendo a turnos al estilo de vida legal y al estilo de vida ilegal y posponiendo el compromiso con alguno de ellos.

Teniendo en cuenta que la delincuencia juvenil se caracteriza por su abandono al llegar a la edad adulta en un porcentaje considerable, el concepto de Deriva podría dar cuenta de ese desistimiento.

3. TEORÍAS DEL CONTROL

Dentro de las Teorías del Proceso Social, además de las del Aprendizaje, se encuentran las Teorías del Control, que se centran tanto en el proceso delictivo como en el no delictivo en cuanto al control social.

Estas teorías, además, parten de la idea de que los individuos presentan un potencial individual para violar las leyes y, además, cuentan con numerosas oportunidades para hacerlo. Si algunos lo hacen pero muchos otros no, se debe estudiar ese freno criminal que, según las Teorías del Control, se encuentra en los vínculos sociales (generalmente controles sociales informales). Además, muchas de estas teorías tienen en consideración el hecho de que los sujetos evitan el delito porque lo contrario les depararía más desventajas que ventajas.

Se muestran a continuación algunas de las Teorías del Control más importantes en la historia de la Criminología, comenzando por la Teoría del control o del vínculo social de Hirschi, la cual es una de las que ha marcado un punto de inflexión de manera más notable en cuanto a la comprensión de la adquisición de los comportamientos disruptivos desde la infancia.

3.1. Teoría del control o del vínculo social de Hirschi

Hirschi formula su teoría, en un primer momento, en su obra de 1969 *Causes of Delinquency*.

Hirschi defiende que existen vínculos concretos que unen al sujeto con la sociedad, algo que previene el comportamiento delincuencial. Esto significaría que, cuando ese vínculo se rompe o es débil, no existiría freno alguno para no llevar a cabo comportamientos que infringen la ley.

Los elementos principales del vínculo social que explica Hirschi son los siguientes:

1. Apego: se trataría de la vinculación afectiva que el sujeto mantiene con otras personas. Hirschi afirma que, para explicar el comportamiento normal, se hace hincapié en la consideración positiva a la opinión de los demás, mientras que, para explicar el comportamiento desviado, se destaca la insensibilidad a la opinión de los otros. El apego se identifica con el control indirecto interno.

2. Compromiso: si una persona invierte tiempo y energía en una determinada actividad legal, debe considerar lo que le puede costar realizar una conducta desviada antes de llevarla a cabo; es decir, debe tener en cuenta el riesgo que puede asumir a perder la inversión realizada en esa conducta convencional. Esto acarrea la aceptación de un compromiso social, que considera que la organización de la sociedad es tal que los intereses de la mayoría de las personas estarían en peligro si se fuera a participar en actos delictivos.

3. Participación: este elemento parte del hecho de que muchas personas viven sin llevar a cabo hechos delictivos porque no se presenta la oportunidad para ello. El tiempo y la energía son limitados, y las personas que realizan actividades convencionales no disponen de tiempo para dedicarse a delinquir. Cuanto mayor sea el tiempo que se dedique a actividades convencionales, menores serán las oportunidades

para infringir la ley. Desde esta óptica se plantea la cuestión de que es necesario ocupar el tiempo libre de los jóvenes mediante actividades prosociales tales como las deportivas, las culturales, las comunitarias, etc., para así evitar la oportunidad delincuencial.

4. Creencias: este elemento significa que existe un sistema de valores común en una sociedad o grupo. Si se comparten esos valores, Hirschi se pregunta por el motivo que lleva a una persona a violar esos valores y cometer actos delictivos. Este autor también se pregunta por la causa por la que los sujetos difieren en sus creencias acerca de lo que es correcto e incorrecto. Finalmente, Hirschi considera que, si se debilita la creencia sobre el respeto de las normas sociales, las personas delinquirán con mayor facilidad.

Tras elaborar su teoría, Hirschi pretendió confirmarla empíricamente a través de un cuestionario de autoinforme, que contó con una muestra de 3600 estudiantes de California. En estos cuestionarios se preguntaba no solo por el hecho de haber cometido algún tipo de delito, sino también acerca de sus relaciones familiares, académicas, con el grupo de pares, etc.

El estudio de Hirchi concluyó que, en cuanto al apego, se destaca la vinculación afectiva y la identificación con los padres, de manera que, cuanto más cercano sea el vínculo entre estos y los menores, menor será la probabilidad de conductas delictivas por parte de los jóvenes.

En cuanto al compromiso con las metas sociales, el estudio de Hirschi descubrió que una persona sin elevadas aspiraciones sociales presentará una menor predisposición a la vida delictiva. De este modo, las motivaciones que presenta una persona evitan la delincuencia.

Con respecto a la participación en actividades convencionales el estudio no pudo verificar su teoría al respecto. Es decir, la relación entre el grado de ocupación de una persona en determinadas actividades legales y la delincuencia no resultó concluyente. En realidad, en este aspecto, Hirschi señala que lo importante no es tanto lo que se hace (muchas o pocas cosas) sino qué se hace. Es decir, sí que puede relacionar, por ejemplo, el poco tiempo que se dedica al estudio con la delincuencia. De esta manera concluye que lo decisivo no es tanto hacer una cosa sino qué tipo de cosa se hace.

Por último, en cuanto a la creencia en la necesidad de respetar la ley, el estudio concluyó que la delincuencia no se causaba por la creencia favorable a la no comisión de delitos, sino que se relacionaba directamente con el hecho de que no existiesen creencias contrarias a su realización.

Por todo esto, Hirschi señaló que el apego estrecho hacia los padres y hacia las otras personas es el factor más importante en el desarrollo de los menores para evitar la delincuencia.

Posteriormente, en los años noventa del siglo XX, junto a Michael R. Gottfredson, Travis Hirschi publicó su obra *A General Theory of Crime,* en la que ambos autores revisaron la teoría anteriormente expuesta. En este momento se desarrolló la que se ha denominado Teoría del Autocontrol, que defiende que la principal característica de los delincuentes sería la impulsividad. Es decir, Los delincuentes serían personas impulsivas, con más habilidades físicas que verbales, egocéntricas y sin capacidad de autocontrol. Ya que para estos autores lo que diferenciaría a las personas que delinquen de las que no lo hacen sería el bajo autocontrol, la solución vendría dada por la educación y la promoción de los vínculos sociales apropiados.

3.2. Teoría de la Contención de Reckless

Otra de las Teorías del Control que han provocado una gran aceptación en la literatura criminológica ha sido la Teoría de la contención de Reckless.

Reckless defiende que la sociedad produce estímulos y presiones que empujan a los sujetos a llevar a cabo conductas desviadas y delictivas. Estos impulsos delictivos externos se contrarrestarían con mecanismos externos de contención que controlarían la conducta delictiva de los individuos para que no sean llevadas a cabo.

Según Reckless, también existirían impulsos internos que funcionarían como mecanismos de presión criminógena, para los cuales los sujetos también utilizarían mecanismos internos de contención.

Según este autor, los mecanismos internos de contención para la delincuencia serían, por ejemplo, la solidez de la personalidad, el buen autoconcepto, el ego acusado, el alto grado de tolerancia a la frustración y la existencia de metas y proyectos vitales.

Por otra parte, los mecanismos externos de contención serían la coacción de las leyes sociales, los diversos grupos sociales que controlan a sus miembros de manera formal, los sentimientos de pertenencia a la comunidad, etc.

Según Reckless, otros mecanismos de contención ante la conducta delictiva hacia la que tienden todos los individuos son la existencia de un consistente código moral, el refuerzo de los valores y normas convencionales, la supervisión y la disciplina familiar, la adopción de roles sociales legales, etc.

Así, el comportamiento delictivo se produciría cuando fallan por débiles o inexistentes los mecanismos de contención.

3.3. Teoría del control interior de Reiss

Reiss también formuló una teoría, denominada Teoría del control interior, que defiende que la desviación social es la consecuencia de controles personales y sociales débiles.

Es decir, la delincuencia sería el resultado de la ausencia de normas y reglas internalizadas en los individuos, y también de la influencia de un desmoronamiento de los controles sociales y de un conflicto entre reglas y técnicas sociales para llevarlas a cabo.

3.4. Teoría de la Anticipación Diferencial de Glaser

La Teoría de la Anticipación Diferencial (Differential Anticipation Theory), desarrollada por Daniel Glaser, ofrece un marco explicativo que integra elementos de las teorías del aprendizaje y de la elección racional para comprender la toma de decisiones criminales. Glaser postula que la decisión final de cometer o abstenerse de cometer un delito es determinada por la anticipación de las consecuencias que el individuo proyecta sobre ese acto.

El proceso central de esta teoría es una evaluación subjetiva de riesgos y recompensas. Los sujetos no actúan por simple impulso, sino que sopesan las expectativas de las consecuencias ventajosas frente a las desventajosas de ejecutar o no el comportamiento ilícito. En términos sencillos, el individuo decidirá delinquir si anticipa que las consecuencias ventajosas (ganancia económica, prestigio, placer) superarán el saldo de las consecuencias desventajosas (castigo, vergüenza, daño).

Para realizar esta evaluación, el individuo utiliza un conjunto de referencias que modulan sus expectativas. En primer lugar, considera los vínculos que mantiene con el orden social, como el empleo, la educación y la familia, ya que un lazo fuerte implica un mayor riesgo de pérdida. En segundo lugar, sopesa sus relaciones con otras personas, particularmente las significativas, ya que el temor a su desaprobación o rechazo actúa como un potente factor de inhibición. Finalmente, las experiencias vitales anteriores propias y observadas influyen en la predicción de la probabilidad de éxito o castigo.

Un aspecto crucial de la teoría es que estas expectativas no se forman en el vacío. Glaser afirma que dependen directamente del grado y tipo de contacto que el individuo ha tenido con roles y modelos de comportamiento delictivo, un concepto tomado de la Teoría de la Asociación Diferencial (o Aprendizaje Diferencial). Es decir, el individuo aprende a anticipar el balance de las consecuencias a través de la interacción social. Si un sujeto se ha asociado de manera más intensa con personas que exhiben y recompensan el rol delictivo, sus expectativas se inclinarán a percibir más ventajas y menos riesgos en la comisión del crimen, facilitando así la decisión de delinquir.

4. REFERENCIAS BIBLIOGRÁFICA

Cid, J. y Larrauri, E. (2001). *Teorías Criminológicas.* Barcelona: Bosch.

García-Pablos, A. (2016). *Criminología. Una introducción a sus fundamentos teóricos.* Valencia: Tirant lo Blanch.

Sutherland, E. H. (1999). *El Delito de Cuello Blanco.* Madrid: La Piqueta.

Sykes, M. y Matza, D. (2008). Técnicas de neutralización: una teoría de la delincuencia. *Cuaderno CRH, 21*(52), 163-171.

Capítulo X

La teoría del etiquetamiento o labelling approach

1. INTRODUCCIÓN Y ANTECEDENTES A LA TEORÍA DEL ETIQUETAMIENTO

La Teoría del Etiquetamiento o Labeling Approach surgió en Estados Unidos en los años 60 del siglo pasado. Esta teoría supuso una ruptura con las posiciones criminológicas mantenidas hasta ese momento, sobre todo por su empecinamiento por mantener el orden social en relación estrecha con las instituciones gubernamentales.

El momento histórico-cultural en el que nace la Teoría del Etiquetamiento se caracterizó por la convulsión social generada por las protestas estudiantiles en contra de la guerra del Vietnam, las luchas feministas, las protestas antirracistas y la promoción de nuevos estilos de vida. Todo esto choca con la moralidad y los intereses de los grupos de poder, que criminalizan estas protestas y formas de vida, prohibiéndose por ley, por ejemplo, los comportamientos de manifestación y protesta. Esto genera un nuevo tipo de delincuente que poco tiene que ver con el que contemplaba la Criminología tradicional.

Un enfoque que se centró en el control social formal, como el Labeling Approach, gozó de una gran popularidad en un ambiente social como el descrito, ya que, sobre todas las cosas, se enfrentaba a los poderes legislativos como represores y creadores de criminalidad.

Uno de los elementos definitorios de la Teoría del Etiquetamiento es la preocupación del proceso de etiquetado delincuencial. Es decir, hasta aquel momento la Criminología se había preocupado por explicar la causa del delito, pero desde la perspectiva del Etiquetamiento lo que importaba era conocer el proceso por el que un determinado comportamiento, y no otro, se consideraba delictivo o desviado.

Nótese que esta perspectiva no contempla que existan conductas desviadas o delictivas por naturaleza, sino que lo que se considera delito lo es porque ante un comportamiento concreto se ha reaccionado calificándolo como criminal.

El segundo elemento que caracterizaba al Labeling Approach era la preocupación por las consecuencias sobre el individuo del etiquetamiento de desviado. Es decir, la autoimagen de uno mismo, que procede de la interacción con los otros, desprenderá un comportamiento consecuente con ese rol adquirido que, en el caso del delincuente, provendrá de la etiqueta de desviado que socialmente se le ha impuesto.

De esta manera, la Teoría del Etiquetamiento estudiará las consecuencias del calificativo de delincuente o desviado en las conductas futuras de la persona que recibe este nombre.

Se debe señalar que el Labeling Approach se centra en la conducta desviada en general, lo cual incluye comportamientos delictivos, pero no solamente estos. También se desea destacar que, con este enfoque, que desvía la atención de la causa del delito a los procesos por los que se considera que una conducta es desviada, se produce un cambio de paradigma en Criminología.

No se puede dejar de explicar tampoco que, en la Teoría del Etiquetamiento, para el estudio del fenómeno criminal, se desarrolla lo que se denomina Introspección Simpatética. Esta sería una técnica metodológica de aproximación a la realidad delincuencial para comprenderla desde el mundo del desviado, y captar el verdadero sentido que este le atribuye a su comportamiento.

Para finalizar la caracterización general de la Teoría del Etiquetamiento se debe señalar que en esta corriente se dieron dos vertientes, una más radical y otra más moderada.

La tendencia radical destaca la función del control social como creador de la criminalidad y el hecho de que el delito es una etiqueta que el control social formal coloca a un sujeto, con independencia de su conducta o merecimiento.

Por otra parte, la vertiente moderada explica que solamente se puede asumir que la justicia se integra en la mecánica del control social general de la conducta desviada.

En cuanto a los antecedentes de la Teoría del Etiquetamiento, se debe indicar sin duda el Interaccionismo Simbólico que se creó a partir de los trabajos de la Escuela de Chicago. Recuérdese que esta corriente sociológica defiende que la interpretación o símbolo de las conductas y de los acontecimientos de la experiencia vital, incluido el que proviene de las instituciones, genera la asunción de un rol determinado en las personas que lo llevarán a cabo en los distintos momentos de su existencia.

Pero también se ha considerado a Durkheim como una influencia del Labeling Approach. Y es que este autor describió en alguno de sus trabajos los procesos de la construcción de la delincuencia, siendo considerada esta como algo normal en todas las sociedades.

Matza también, con su idea de que seguir el camino de la conducta prosocial es tan comprensible y normal como seguir el camino del comportamiento antisocial, resultó ser una influencia para los teóricos del etiquetamiento.

Por último, se puede considerar otro antecedente e influencia de La Teoría del Etiquetamiento la obra de Tannembaum, que introdujo el término «etiquetamiento» para referirse al proceso que se inicia cuando un delincuente es detenido y penado. Este etiquetamiento vendría dado por el propio delincuente y por la sociedad.

2. PRINCIPALES AUTORES DE LA TEORÍA DEL ETIQUETAMIENTO

2.1. Becker

Becker, uno de los principales teóricos del Etiquetamiento, defendió y criticó que la Criminología tradicional buscase la explicación a la causa de la conversión de alguien en delincuente por sus características individuales.

Este autor también observó que se pueden dar diferentes definiciones de desviación, y que ya solamente ese hecho obedece a los intereses de un grupo con poder social. De hecho, Becker utilizó el término de **empresario moral** para referirse a aquellos que definen y crean el sistema legal, que no es más que la imposición de su perspectiva social interesada. De esta manera, se deduce que se debe analizar e investigar el proceso por el que una actividad se define como negativa y el Derecho Penal la acompaña.

La Teoría del Etiquetamiento debe, por lo tanto, analizar los procesos de criminalización de determinadas conductas en un momento y un lugar concreto, y examinar bajo la influencia de qué grupos de poder se lleva esto a cabo (en definitiva, ocurrirá que dichos grupos perseguirán unos determinados intereses políticos, económicos y corporativos).

Pero, como defiende Becker, el delito no surge solamente del acto de infringir una ley, sino que este debe ser interpretado y registrado como desviado o delincuencial.

Los Teóricos del Etiquetamiento también deben estudiar este proceso, que no es más que el proceso de **Reacción Social.**

Una vez estudiado el proceso por el que algo se convierte en delito, se debe estudiar qué tipo de sujetos son etiquetados como delincuentes. Esto se debe al hecho de que hay personas que, a pesar de no haber infringido la ley, se consideran **desviados** (por ejemplo, cuando se generaliza sobre una minoría étnica en este sentido), mientras que otros, que sí lo han hecho, no se consideran socialmente delincuentes (por ejemplo, porque no han sido detectados). Es decir, el delincuente es alguien que además de delinquir ha sido descubierto.

El delincuente sería finalmente una creación del sistema penal, ya que es este el que aplica la etiqueta a algunas personas mientras que no lo hace con otras, no por su comportamiento antisocial sino por su procesamiento jurídico.

En resumen, lo que distingue una infracción de un delito no es la naturaleza de ambos tipos de comportamientos, sino que el delito ha sido identificado, definido, registrado y penado como tal. De la misma manera, el delincuente es aquel que ha cometido una infracción, ha sido definido como tal, registrado y castigado jurídicamente.

Por último, Becker, explica que la persona etiquetada como desviada se aísla del mundo prosocial para adentrarse en el antisocial. Así, se produce una neutralización de su vínculo con la sociedad, una repudia de las personas prosociales, una racionalización de la desviación, y un aprendizaje de comportamientos antisociales para evitar problemas con las fuerzas del orden, creándose de esta manera una autoimagen de ser desviado.

2.2. Lemert

Lemert comparte la idea de que nuestra imagen, tal y como defendía el Interaccionismo Simbólico, se forma a partir de la relación con los demás y sus concepciones sobre nosotros mismos. Así, si los demás nos identifican y tratan como delincuentes, asumiremos esa identidad y seremos y actuaremos como criminales.

Este autor explica uno de los puntos centrales del Labeling Approach, que es la distinción entre Desviación Primaria y Desviación Secundaria.

La Desviación Primaria sería la primera infracción cometida por un sujeto, que puede tener como objeto, por ejemplo, la solución de alguna situación problemática o económica, o que puede producirse para cumplir las expectativas de una Subcultura a la que se pertenece. Este tipo de desviación es muy común en la delincuencia juvenil.

La Desviación Secundaria sería la repetición de los actos delictivos como resultado de la detención, procesamiento, encarcelamiento y asunción de la etiqueta de desviado o delincuente que modificaría la imagen del sujeto, llevándole esto a comportarse como un criminal, que es lo que el sujeto ya se considera.

La causa de la primera infracción, según Lemert, depende de numerosos factores, que van desde procesos psicológicos hasta el aprendizaje antisocial, pasando por condiciones estructurales o condicionamientos sociales varios. La Desviación Primaria puede ser más de un comportamiento infractor: es decir, pueden ser todas las conductas que, aunque sean desviadas, no han sido aún interiorizadas por el sujeto para formar una nueva personalidad y no han sido utilizadas socialmente para describir un nuevo estatus en esa persona como desviada.

Por otra parte, cuando la reacción de la sociedad es más severa a estas infracciones, e interviene el proceso penal, se puede dar una redefinición de la personalidad de la persona por ella misma y por la sociedad. Cuando el individuo adopta el rol de delincuente, además de una degradación de estatus y asilamiento social del mundo no criminal, también se pueden dar consecuencias positivas para el sujeto delincuente como, por ejemplo, la pertenencia a un grupo antisocial de referencia que protegerá a esa persona del mundo convencional circundante.

2.3. Erikson

Erikson explicaba, sobe la desviación, que esta no se trata de una propiedad inherente a ciertas formas de comportamiento, sino que el calificativo de **desviado** es una propiedad que es atribuida a ciertas formas de conducta por ciertos grupos que directa o indirectamente las presencian.

Una idea importante que se desprende de la teoría de este autor es que este defiende que es importante conocer los valores culturales de quienes reaccionan ante la cualidad de que una conducta sea desviada o no, pues de esta forma se podría comprender el hecho de que la propia desviación cumpla funciones de cohesión social.

Las ideas de Erikson son estudiadas en la sociedad puritana de Massachussets del siglo XVII, demostrándose cómo las tres olas de criminalidad que esta sufrió provocaron sendas reacciones sociales con una clara funcionalidad. Partiendo de la sociedad puritana de aquella época, que estaba formado por un grupo social cuyas principales normas eran los valores religiosos, el autor señaló que dicha caracterización explicó qué tipo de conductas se entienden como desviadas y quiénes son los agentes formales de la reacción social al respecto.

Así, Erikson, explica cómo la persecución de la brujería (conducta desviada) sirvió para consolidar la identidad de la comunidad y reforzar sus convicciones y normas religiosas, al contar la población con un enemigo común al que combatir.

2.4. Schur

Este autor se centró en el estudio de las conductas que se encuentran en la frontera del delito. De esta manera, determinados comportamientos que no presentan ningún daño a ninguna persona se consideran delictivos, como, por ejemplo, las manifestaciones, la prostitución, el consumo de drogas, la homosexualidad, etc., fenómenos estos que deben ser estudiados por la Teoría del Etiquetamiento.

Que se criminalicen este tipo de comportamientos no es más que una criminalización disfuncional, cuyo objetivo es otro: afianzar la desviación, fomentar Subculturas y promover la ocurrencia de delitos secundarios (ej.: robar para poder comprar drogas).

La idea de Schur, por lo tanto, es la de excluir como conductas susceptibles de ser sancionadas todos esos comportamientos que no presentan víctimas, de manera que la sociedad pueda recuperar, así, recursos que podría emplear en medidas preventivas y no represivas.

Una de las aportaciones más importantes de Schur procede de su obra de 1971 *Labeling Deviant Behavior*, en la que introdujo el concepto de Interpretación Retrospectiva, según el cual, una vez que una persona es etiquetada como desviada, se procederá a reexaminar los hechos y los comportamientos pasados de ese individuo para reinterpretarlos desde la nueva etiqueta de desviación del sujeto.

Esa degradación se produce durante la fase de la ejecución de la pena, en la que el sujeto queda etiquetado, asumiendo su nuevo rol y modificando su propio autoconcepto para ajustarlo a la etiqueta de delincuente.

Por lo tanto, dado que la reacción social represiva produce efectos criminógenos, Schur propugna, además de no criminalizar los delitos sin víctima, tolerar determinados estilos de vida. Este autor hace hincapié en el hecho de que esto no significa que todo vale, sino que la política criminal prohíbe muchos comportamientos que van más allá de lo necesario, para proteger a los ciudadanos de actos dañosos, sobre todo desde la delincuencia juvenil. Por ello, la directriz básica de la política criminal debe ser la de dejar a los chicos solos siempre que sea posible.

2.5. Chapman

La perspectiva sociológica ofrecida por Dennis Chapman se inscribe en las llamadas teorías del etiquetamiento (Labeling Theory) y constituye una crítica radical a la criminología tradicional que se centra únicamente en el individuo delincuente. Chapman desafía la noción de que existe una diferencia esencial e intrínseca entre la persona que es catalogada como criminal y aquella que no lo es.

Su postulado central establece que todo comportamiento desaprobado puede manifestarse en formas que son objetivamente idénticas a las delictivas, pero que, sin embargo, son socialmente aprobadas o, al menos, recibidas con absoluta indiferencia por la sociedad y las instancias de control. La diferencia crucial entre un criminal y un no criminal no reside en la naturaleza del acto en sí, sino únicamente en la condena o el proceso formal de etiquetamiento.

Para Chapman, el delito es, en última instancia, un comportamiento que es definido como tal por la reacción social y, crucialmente, por las relaciones de poder que un individuo (el presunto autor) y su presunta víctima mantienen con las instancias formales de control social, como la policía, los fiscales, los jueces y el sistema penitenciario. La criminalidad, por lo tanto, no es una cualidad inherente al acto, sino un estatus social impuesto. Si una persona es pobre, marginada o carece de poder, es mucho más probable que sus actos sean etiquetados y procesados formalmente, mientras que una persona con poder puede cometer actos funcionalmente idénticos que son disfrazados, ignorados o manejados fuera del sistema penal.

De esta manera, Chapman subraya que el foco de la criminología debe desplazarse del actor a la reacción. Lo que constituye el delito es el proceso selectivo de definición y persecución que realizan las agencias de control. El crimen es, en esencia, un constructo social y un resultado de la interacción entre las personas y las instituciones que tienen el poder de conferir la etiqueta de "criminal", eliminando la distinción moral o psicológica a priori entre el delincuente y el ciudadano respetuoso de la ley.

2.6. Sack

Sack generó una concepción macrosociológica del fenómeno delictivo desde la óptica de una teoría general de la sociedad. Así, la criminalidad sería un bien negativo cuya distribución sería producto de acuerdos sociales.

Este autor parte de la idea de que la mayoría de los ciudadanos realizan alguna vez comportamientos desviados, pero que la etiqueta que proviene del medio social no se distribuye equitativamente.

2.7. Karl- Dieter Opp

Karl-Dieter Opp se presenta como una figura relevante dentro de la criminología sociológica, distinguiéndose de las versiones más radicales de la Teoría del Etiquetamiento (Labeling Theory). Aunque no niega la importancia de la reacción social, Opp critica la tendencia de algunos autores de esta corriente a ignorar por completo el estudio etiológico del comportamiento, es decir, las causas originales que llevan al individuo a cometer el acto infractor antes de ser etiquetado.

En oposición a aquellos que sostenían que "todo es etiquetamiento" y que el crimen es puramente un constructo social impuesto por las instancias de control, Opp aboga por una visión más equilibrada y compleja. Para él, el comportamiento desviado debe entenderse como un fenómeno que está integrado por dos componentes esenciales e interdependientes que deben ser analizados conjuntamente.

El primer componente es el comportamiento en sí mismo considerado infractor, la acción real que realiza el individuo y que objetivamente contraviene una norma social o legal. Este es el campo de la etiología, donde se analizan los factores individuales, sociales o de aprendizaje que motivan el acto. El segundo componente es la definición que las instancias de control social (policía, jueces, medios de comunicación) hacen de ese comportamiento.

Esta definición es el proceso de etiquetamiento que asigna el estatus de "delincuente" al actor.

La teoría de Opp sostiene que el comportamiento desviado se produce en la intersección de estos dos elementos. No basta con que exista el acto, pues muchas conductas infractoras pasan desapercibidas o no son sancionadas (como demostraban las teorías radicales del labeling). Pero, al mismo tiempo, la desviación no puede ser reducida únicamente a la reacción del sistema, pues existe una razón de origen para el acto inicial. De este modo, Opp intenta superar el reduccionismo del etiquetamiento al reintroducir la necesidad de investigar las causas subyacentes del comportamiento inicial, logrando una síntesis que reconoce la realidad del acto infractor junto con el poder constitutivo de la reacción social formal.

2.8. Kaiser

Kaiser defendió la importancia de las reflexiones aportadas por el Labeling, que consisten en la fuerza configuradora del control del delito respecto al volumen, estructura y movimiento de la criminalidad, así como a sus efectos sobre la imagen del delincuente, afirmando que la teoría de la criminalidad conlleva que se da criminalización.

Este autor explica que La Teoría el Etiquetamiento ofrece un nuevo conjunto de conceptos, por lo que promueve el estudio de un campo objetivo hasta entonces poco considerado (la **reacción social**), pero afirma que la debilidad del Labeling consiste en que, en realidad, nada se puede señalar respecto a la existencia y explicación de una conducta socialmente no deseada, que oficialmente no se conozca ni caracterice como delito.

3. CONCLUSIONES

Aunque, como en todo grupo de teorías, existen autores con sus propias aportaciones, en el Labeling se dan una serie de pensamientos que unifican todo este cuerpo explicativo del acto criminal. Este se resume a continuación.

1. Lo que es desviado lo decide un grupo social que crea las normas y las aplica: se debe estudiar, por tanto, por qué este grupo lo hace.
2. No se deberían considerar desviados los delitos sin víctimas.
3. El etiquetamiento estigmatiza.
4. Se debe estudiar quién interpreta y aplica la norma.
5. Se da una Desviación Primaria (se comete por primera vez un delito) y una Desviación Secundaria (el delincuente asume el rol de desviado y continúa delinquiendo como defensa o adaptación a los problemas encubiertos y abiertos).
6. Se debe desconfiar de las estadísticas oficiales, ya que existe una gran cifra negra.
7. La consecuencia de aplicar una etiqueta a una persona es importante para distinguir una simple infracción de un delito. No basta con infringir una norma, sino que, además, la sociedad ha de etiquetar al sujeto que comete ese hecho, pues, como ya se ha explicado, algunas personas pueden ser etiquetadas como delincuentes y otras no, pese a haber realizado la misma conducta o infracción de la norma.
8. Valoración crítica a la Teoría del Etiquetamiento

La Teoría del Etiquetamiento generó numerosas alabanzas en un primer momento, para generar numerosas críticas después.

Por una parte, se consideró que los estudios criminológicos del Labeling no presentaron la consistencia ni la sistematicidad suficiente como para ser consideradas teorías. Y es que algunos autores consideraron que el Etiquetamiento es simplemente un «tirón de orejas» hacia la sociedad y no una verdadera aproximación analítica del fenómeno delincuencial.

Por otra parte, se considera que el Labeling Approach carece de rigor metodológico y conceptual cuando se embarca en el análisis de las instituciones, las cuales son su objeto de estudio.

También se ha señalado que, al centrarse en el proceso del etiquetado, se dejan de lado los factores intervinientes y precipitadores de las primeras conductas desviadas, que, en realidad, no han sido estudiadas por muchos autores del etiquetamiento.

Además, no se considera que el efecto del etiquetamiento sea tan devastador como defiende el Labeling. Es decir, no acaba de parecer tan determinante que el hecho de recibir el calificativo de desviado desencadene una carrera criminal. Se considera por lo tanto que, además del etiquetado, intervienen otros factores, como el contacto con otros delincuentes en prisión, la debilitación de las relaciones sociales, el aprendizaje de determinados valores criminógenos, las condiciones de la condena y sus procesos de intervención, etc.

Pero principalmente se han criticado los postulados de la Teoría del Etiquetamiento por considerar que el acto criminal es un hecho únicamente social, en toda la gran variedad de delitos. Por ejemplo, delitos como el homicidio, la agresión sexual, el robo, etc., son infracciones que se consideran crímenes en todas las culturas. Y es que también se ha observado que lo que se califica como delictivo no solamente obedece a los intereses de un grupo poderoso, sino que también es un hecho necesario para asegurar un estado de convivencia civilizado y pacífico.

No se puede finalizar este apartado sin señalar que, además de las críticas que ha recibido el Labeling Approach, hoy en día este se aplica por su validez al estudio de los procesos de desviación y criminalidad.

4. REFERENCIAS BIBLIOGRÁFICAS

Cid, J. y Larrauri. E. (2001). *Teorías Criminológicas*. Barcelona: Bosch.

García-Pablos, A. (2016). *Criminología. Una introducción a sus fundamentos teóricos*. Valencia: Tirant lo Blanch.

Garrido, V., Stangeland, P. y Redondo, S. (2001). *Principios de Criminología*. Valencia: Tirant lo Blanch.

Capítulo XI
Modelos conflictuales

1. ¿QUÉ SON LAS TEORÍAS DEL CONFLICTO?

Las Teorías del Conflicto emergieron de las ideas de la Teoría del Etiquetamiento. Se denominan -y en oposición a las Teorías del Consenso-porque defienden que existen ciertos grupos sociales en conflicto con diferentes intereses y que el Estado representaría los de los más poderosos, siendo el Derecho una consecuencia de los beneficios que obtienen esos grupos de poder.

Por otra parte, las Teorías del Consenso defenderían que el Estado mediaría entre los distintos grupos sociales y sus intereses de forma justa. Además, las Teorías del Consenso defienden que el Derecho cuida los valores del sistema y que el Estado garantiza en la sociedad pluralista una aplicación neutral de las leyes anteponiendo los intereses generales a los particulares de los diferentes grupos que la componen.

Esta idea de que las sociedades se caracterizan por el conflicto y no por el consenso es la base conceptual de todos los modelos conflictuales.

De hecho, estas teorías consideran que el consenso es un engaño, ya que este solamente sería un estado temporal social que volvería al conflicto o que, para mantenerse, necesitará de un coste social muy elevado.

Estas Teorías Conflictuales también se centrarían en la naturaleza política del delito, examinando la creación y aplicación de la ley. Es decir, no se centran ni se preocupan por el individuo delincuente, sino que, para estas teorías, lo que provoca el mantenimiento del sistema y la promoción de los ámbitos necesarios para su desarrollo dinámico y su estabilidad es el conflicto. El delito sería, por lo tanto, una expresión de los conflictos existentes en la sociedad, que no tienen por qué ser socialmente nocivos.

En resumen, se puede exponer que las Teorías del Conflicto defienden que:

1. El orden de la sociedad industrializada contemporánea no se basa en el consenso, sino en el disenso.
2. El conflicto no expresa una realidad patológica, sino la propia estructura y dinámica del cambio social. Este es funcional cuando contribuye a un cambio social positivo.
3. El Derecho representa los valores e intereses de las clases o sectores sociales dominantes, no los generales de la sociedad. Así, la justicia penal gestiona la aplicación de las leyes de acuerdo con dichos intereses.
4. El comportamiento delictivo es una reacción de las leyes de acuerdo con dichos intereses de un determinado grupo de poder, y también una reacción al desigual reparto de poder y riqueza.

Como se ha señalado en la introducción de este tema, las Teorías del Conflicto son muchas, aunque comparten ese foco central que defiende que el estudio debe basarse en la creación y aplicación de la ley y en el conflicto como situación real en las sociedades. Pero, al ser muchas, se han organizado en dos grupos.

Las primeras son las Teorías Pluralistas, que sugieren que la sociedad está compuesta por una gran variedad de grupos que varían en tamaño y temporalidad y que luchan porque sus propios intereses se mantengan en un determinado número de asuntos. Y las segundas, consideradas más radicales, defienden que son solamente dos tipos de clases sociales las que conforman la sociedad y las que luchan por dominarla. En este tema nos ocuparemos de las primeras: esto es, de las Teorías Pluralistas.

2. CONTEXTO SOCIOCULTURAL Y ANTECEDENTES DE LAS TEORÍAS DEL CONFLICTO

Las Teorías del Conflicto surgen en Estados Unidos en un momento social concreto y caracterizado por la convulsión. Tras la calma y el «consenso» de los años 50 y el comienzo de la década de los 60, entre 1965 y 1975 se propagó un desencanto social, que provocó toda una serie de demandas de diferentes grupos sociales que defendían una gran variedad de derechos civiles.

Por ejemplo, cuando en las Teorías del Conflicto Pluralistas se habla de diversos grupos con diferentes intereses, se hace referencia a estos grupos que defendían derechos sociales como los derechos de las mujeres, los derechos de los ciudadanos afroamericanos, los derechos de los homosexuales, las protestas contra la guerra de Vietnam, etc.

Estos grupos protestaban constantemente en un momento en el que las manifestaciones no se permitían y contra las que la policía debía enfrentarse arrestando a manifestantes. Así, las leyes se veían como un medio para imponer intereses específicos y orientaciones morales provenientes de esos grupos de poder, no solamente prohibiendo derechos sociales o promoviendo determinadas acciones como las bélicas, sino también haciendo uso de las leyes y de sus agentes de control policial, para perpetuar en esa lucha de grupos los propios intereses.

De esta manera, los jóvenes, que eran los mayores defensores de los derechos civiles, comenzaron a cuestionarse los estilos de vida de sus padres, considerándolos corruptos y falsos. Además, se debe señalar que durante estos años se produjo el escándalo del Watergate, que generó un sentimiento de desconfianza sobre la clase política a la cual se comenzó a considerar corrupta y carente de moralidad.

Esta situación social, unida a los antecedentes teóricos que se produjeron con anterioridad, provocaron el surgimiento de las Teorías del Conflicto. Entre estos antecedentes teóricos destaca la Teoría del Etiquetamiento, como ya se ha señalado, y los trabajos de sociólogos alemanes como Hegel, Marx, Weber y Siemmel. Y es que, los científicos sociales, comenzaron a preguntarse acerca de las estructuras sociales y de las instituciones legales.

Autores como Tuk y Quinney (que se explicarán más adelante) se centraron en el estudio de la reacción social, mientas que Bonger creó una Teoría Temprana de la Criminalidad combinando el marxismo y las posturas psicoanalíticas. Por su parte, Coser y Dahrendorf se centraron en el conflicto social. Además, surgió una corriente radical ya señalada, que retomó los primeros trabajos de Marx, aplicándose a la explicación del acto criminal.

3. TEORÍAS DEL CONFLICTO PLURALISTAS

Estas teorías se centran en el poder y su utilización, asumiendo que los conflictos que se dan son entre distintos grupos (por eso se denominan «pluralistas», porque tienen en cuenta diferentes organizaciones), intentando cada uno de ellos controlar ciertas situaciones y acontecimientos.

Estos problemas sociales sobre los que luchan los distintos grupos pueden proceder de asuntos del día a día, de la coacción ejercida por ciertos grupos de presión, o simplemente de la acción política y económica. En todos estos asuntos cada grupo intentará defender sus intereses, mostrando una mayor fuerza aquellos que cuentan con mayores recursos.

Siguiendo el ejemplo de Wiliams y Mcshane, si se pretende sacar adelante una ley concreta, esta siempre contará con detractores y defensores. El grupo con mayores recursos, y que finalmente impondrá su interés, será el que cuente con grupos de presión a su alcance que influirán sobre los legisladores a través de la persuasión e incluso con sobornos.

Ya que el poder depende de los recursos de los que se dispone, aquellos grupos que pertenecen a clases sociales superiores serán los más poderosos dentro de la sociedad.

La ley en sí misma sería un recurso de gran valía para ejercer poder y hacer prevaler los propios intereses. De hecho, si los valores de un grupo ya se encuentran representados legislativamente, estos se pueden utilizar para su propio beneficio, perpetuando así el poder de aquellos que ya sustentan el poder. De la misma manera, aquellos grupos que pierden en estas luchas por la imposición de los intereses se encontrarán más perseguidos por los agentes de la ley.

Por ejemplo, si un grupo defiende los derechos de los afroamericanos, y estos no se encuentran representados en las leyes, las manifestaciones a favor de estos derechos serán reprimidas por las fuerzas del orden y las leyes a favor de la implementación de derechos serán descartadas por el ejercicio de poder de ciertos grupos que, con sus mayores recursos, influirán en la legislación al respecto, imponiendo sus intereses, que no son los de los grupos afroamericanos.

Pero el poder ejercido a través de la ley también se puede observar en el hecho de que, ya que los valores de los grupos de poder se encuentran representados en la ley, el resto de los grupos presentan mayores probabilidades de ser criminalizados. El poder no solamente ayuda a un grupo a crear leyes en su propio beneficio, sino que también reduce las oportunidades de que estos sean calificados como desviados.

3.1. Teoría de George Vold

Vold parte de la idea de la naturaleza grupal de la sociedad y los diferentes intereses de esta. Cuando esos valores e intereses se solapan, o se invaden ente sí, es cuando se produce la competitividad entre los distintos grupos sociales. De esta manera, en el momento en el que los conflictos se agravan, los miembros de cada grupo se tornan en más leales y fieles a la causa.

Este autor defiende que los grupos deben ser vigilantes y defender constantemente sus intereses. Por este motivo, las distintas organizaciones se encuentran continuamente en lucha para mantener y mejorar sus intereses y su situación.

Vold se involucró en el estudio del conflicto en la ley criminal, indicando que tanto la creación de leyes y su violación como los cuerpos que se dedican a su cumplimiento reflejan pequeños conflictos que resemblan luchas superiores y más generales por el control político del Estado.

Este autor también hace notar que los grupos minoritarios, al no hacerse escuchar apropiadamente e influir en el proceso legislativo, presentarán comportamientos considerados generalmente ilegales.

3.2. Austin Turk

Turk conceptualizó el orden social como un producto de grupos de poder que pretenden tomar el control de la sociedad. Este poder se lleva a cabo de manera que se imponen unos determinados valores en el sistema legal, para después contar con fuerzas de autoridad que se ocupan de imponer las leyes.

La única explicación de la criminalidad, según Turk, se encuentra en la ley criminal. De esta manera, este autor propuso el examen de la ley criminal y cómo esta define el estatus de delincuente (idea heredera de las Teorías de Etiquetamiento). Es decir, el objeto de estudio es la definición de delincuente en la relación entre el sujeto/población y la autoridad (idea central de la Teoría de Turk).

El delito es entonces un calificativo que se da a aquellos que se resisten a las normas, y cuya consideración de estas y de la realidad es inadecuada para poder anticipar los resultados de las propias acciones.

Cuanto menos sofisticado sea el sujeto, mayor será la probabilidad de sufrir problemas con la justicia, algo que se da muy a menudo en los jóvenes.

En cuanto al concepto de relación entre el sujeto/población y la autoridad, Turk especifica que esta se da desde una subordinación a la autoridad, que representa al poder.

Turk también especifica en su teoría que se dan dos formas de ejercicio de control sobre la sociedad. La primera sería a través de la coerción o la fuerza física: cuanto mayor sea la fuerza que se utiliza sobre la población para el cumplimiento de las leyes, más difícil será controlar a la sociedad. Por lo tanto, se debe mantener un balance entre el consenso y la coerción para la imposición de las normas por parte de los grupos de control.

La segunda manera de ejercer el control social es de manera más sutil, y consiste en hacer ver que la ley es más importante que las personas. Se darían entonces dos tipos distintos de leyes. La primera sería el listado de conductas deseables y los castigos correspondientes a su incumplimiento, y el segundo tipo de leyes vendría conformado por las reglas establecidas para procesar a los delincuentes por parte del sistema legal. Se trataría este de un proceso legal que se encuentra controlado por el grupo más poderoso.

Turk hace notar que, después de un período de coerción, una sociedad se adaptará a unas nuevas normas. Las personas de las generaciones más antiguas morirán y las que quedan no podrán comparar el nuevo orden social con el antiguo. Así, se cuestionan muy poco las reglas sociales o las nuevas formas de relación entre el sujeto/población y la autoridad. Todo esto lleva a Turk a pensar que los elevados índices de criminalidad son esperables cuando se da un proceso de coerción física.

También defiende este autor el hecho de que, cuanto mayor sea el poder de los grupos de control, más elevada será la tasa de criminalización de los menos poderosos. Y por último postulará que, si los menos poderosos se organizaran, las probabilidades de conflicto con la autoridad serían mayores, dándose así un aumento de la tasa de delincuencia.

3.3. Teoría de Richard Quinney

Richard Quinney cuestionó las definiciones de delito y el proceso legal llevado a cabo por las autoridades. De esta manera, presentó su Teoría de la Realidad Social del Crimen.

Este autor rechazó las ideas tradicionales de ciencia, particularmente la idea de que los investigadores científicos trabajaban con datos que representaban el mundo real. Así, su argumento en contra era que la realidad es meramente lo que percibimos que es.

Quinney contemplaba el crimen como lo hacían los teóricos del Etiquetamiento, es decir, como un producto de la reacción social formal. Así, la reacción más importante viene de las autoridades legales. Estas autoridades no solo reaccionan a la conducta, sino que también lo hacen imponiendo definiciones a los comportamientos que deben ser considerados delictivos. Estas definiciones se realizan utilizando el poder político e incorporando en las leyes penales esas conductas que no son deseables para ellos.

Aquellos de clases sociales más bajas presentan mayores probabilidades de cometer conductas desviadas y de aprender esos comportamientos de aquellos de su entorno. El delito es, entonces, el producto de definiciones legales construidas a través del ejercicio del poder. Al igual que el crimen es socialmente construido, el no crimen también lo es. De esta manera, las definiciones del crimen y del no crimen se transmiten por medios de comunicación, los cuales construyen una realidad social al servicio del poder.

4. OTRAS TEORÍAS DEL CONFLICTO

En esta asignatura se han dividido las Teorías del Conflicto en dos tipos, las pluralistas y las radicales de corte marxista (que se estudiarán en el tema «Teorías Marxistas»). Pero es tan grande la variedad de Teorías del Conflicto que incluso se han creado subgrupos como las Teorías del Conflicto Cultural. De estas, destacan autores como Taft y Sellin.

Para Taft, la criminalidad es algo consecuente al cambio social. Es decir, la cultura social con sus contradicciones sería el principal factor criminógeno, ya que estas contradicciones provocan una crisis moral. Es esta la famosa crisis de valores, que se manifiesta en una ausencia de credibilidad en las instituciones heredadas, en una doble moral social, en el espíritu de competitividad, etc.

Otro de los autores de las Teorías del Conflicto fue Thorsten Sellin, que ya a finales de los años 30 del siglo pasado explicó que en cada cultura se dan diferentes normas, las cuales se suelen reflejar en las leyes.

Así, cuando se dan procesos de colonización e inmigración, aparecen diferentes grupos sociales y, por lo tanto, diferentes normas conductuales. De esta manera, la ley ya no puede representar a todos esos grupos en su diversidad normativa y conductual, por lo que lo hará solamente para los grupos más privilegiados que son los que ostentan el poder social. Nótese que este autor hace hincapié en las normas conductuales de los grupos. A Sellin también se le considera un antecedente de las Teorías del Conflicto.

Por otra parte, uno de los autores más señalados como teórico y precursor de la Teoría del Conflicto es Dahrendorf, el cual explica que las organizaciones sociales existen y evolucionan no por un consenso o acuerdo universal, sino por la coacción y presión de unas sobre otras. Cambio, conflicto y dominación son los tres pilares fundamentales de todo modelo sociológico.

Y, por su parte, otro antecesor de este tipo de Teorías, Coser, defiende que el conflicto es funcional, porque asegura el cambio social y contribuye a la integración y conservación del orden y, por tanto, a la perpetuación del sistema.

No se puede dejar de nombrar la obra de Chambliss y Seidman en la década de los 70, que parte de la relatividad del concepto de delito, algo que en realidad se encuentra presente en todas la Teorías del Conflicto. Estos autores analizan cómo funciona la aplicación del derecho en la práctica jurídica, indicando que en las sociedades se da un conflicto de intereses que siempre beneficia a un tipo de agencias estatales, que a su vez actúan beneficiando a las estructuras de poder, tanto en la generación como en la aplicación de la ley.

Para finalizar este apartado se desea hacer referencia a otra teoría posterior a todas las señaladas hasta el momento, y que fue desarrollada por Bernard bajo el título de la Teoría Unificada del Conflicto.

Esta teoría defiende que, ya que los intereses de las personas se encuentran moldeados por las condiciones socioeconómicas en las que viven, que se caracterizan por las desigualdades, seguiremos encontrando en la sociedad grupos con valores e intereses enfrentados. A mayor diferencia social y económica, mayor conflicto se encontrará en una sociedad.

La novedad de la teoría de Bernard es que no se trataría solamente de un grupo de poder el que decidiría, sino que serían varios los que lo harían a su conveniencia en cuanto a las leyes en general y a las penales en particular.

En definitiva, cuanto mayor sea el poder político y económico de un determinado grupo, más difícil será que los comportamientos que sirven a sus intereses y valores tanto a nivel individual como grupal vayan en contra de la ley. De la misma manera, mientras menor sea el poder de un determinado grupo, se dará una mayor probabilidad de que los comportamientos que obedecen a sus valores e intereses sean considerados violaciones de las leyes penales.

5. LA CRIMINOLOGÍA CRÍTICA

No se puede finalizar este tema sin hacer referencia a la Criminología Crítica. Esta surgió en los años 70 con el trasfondo de las protestas por los derechos civiles en Estados Unidos y teniendo como precedentes las Teorías del Conflicto.

El espíritu de la Criminología Crítica es el de la oposición a la Criminología tradicional. Bajo esta perspectiva se pueden englobar toda una serie de criminólogos heterodoxos, moderados y radicales marxistas y no marxistas. Es decir, las Teorías del Conflicto en todas sus vertientes (en este tema solamente se han visto las pluralistas, mientras que las marxistas se explicarán en el tema «Teorías Marxistas») se engloban también en la llamada Criminología Crítica, de la que son herederas y continuadoras, además de producirse ambas casi simultáneamente.

Además de las Teorías del Conflicto, la Criminología Crítica es heredera de postulados propios de Marx y Durkheim, junto con Bonger, Merton, Utrech y Turk. De hecho, Bonger desarrolló la primera crítica socio-criminológica que desembocaría en la fundación de la Escuela de Utrech.

En Estados Unidos el punto de partida vino de la mano de la Criminología radical en Berkeley con autores como Platt, Takagi, Quinney y Chambiss, mientras que en Europa surgió un grupo más organizado y radical con numerosas influencias de tipo institucional.

En 1972 se elaboró un manifiesto en el que se formaba un grupo de autores con el fin de abordar bajo una nueva perspectiva la conducta desviada y la reacción social al respecto (elementos fundamentales del tratamiento tanto de las Teorías del Conflicto como de la Criminología Crítica). Los puntos clave para analizar también eran la criminología tradicional, la crisis del estado de bienestar y el estudio de las instituciones de control social.

Se debe destacar la obra de Taylor, Walton y Young denominada *La Nueva Criminología,* que recogió toda esa crítica a la Criminología tradicional y que representa un de los textos más importantes de la Criminología Crítica.

Para comprender la Criminología Crítica, en cuanto a su relación con las Teorías del Conflicto y la Criminología Marxista, que influyeron e incluso se simultanearon con la Criminología Crítica, se puede dividir a esta última en dos fases.

La primera fue la denominada Nueva Criminología Marxista, que enfatizaba la economía como elemento explicativo de la delincuencia y del derecho penal. La segunda época fue producto de la revisión de los propios criminólogos críticos y se denominó Criminología Crítica, la cual suaviza el determinismo económico de la Nueva Criminología Marxista, añadiendo, además, el estudio del contexto sociológico, político y cultural.

Llegados a este punto, y siguiendo a Cid Moliné y Larrauri Pijoan, se mostrarán los postulados principales de la Criminología Crítica:

1. La Criminología Crítica se centra en el estudio del contexto histórico-cultural en el que se produce el delito. Se pretende observar cómo es el proceso de criminalización: es decir, cómo y por qué ciertos comportamientos se consideran delictivos, criticando el Derecho Penal, el cual no se considera un instrumento neutral en cuanto al trato de los considerados delincuentes, soliendo perjudicar a los más pobres.
2. La Criminología, heredera de la Teoría del Etiquetamiento, pretende estudiar el sistema penal, que incluiría a policía y jueces, a los cuales critica por su utilización discriminatoria del Derecho Penal hacia las clases más desfavorecidas en cuanto al poder. Esto no se debe a prejuicios de policías o jueces, sino a los defectos del sistema penal que es especialmente duro con los delitos comunes, los cuales, según la Criminología Crítica, son los menos graves.
3. El comportamiento delictivo se atribuye a la situación económica al modo de la Teoría de Merton, pero teniendo en cuenta no solo factores estructurales como la pobreza, sino también los elementos propios de las Teorías Culturales y las Teorías del Control. Para la Criminología Crítica, las variables explicativas más importantes son la clase social y otras desigualdades como el género y las minorías étnicas.

Se produce una cierta «empatía» con el delincuente y se busca situarse en su perspectiva y ponerse en su lugar. Se pretende no descalificar los comportamientos delictivos de antemano, calificándolos de irracionales. Se da el convencimiento, también, de que detrás del acto delictivo se da una racionalidad.

1. La Criminología Crítica se decanta por métodos de estudio cualitativo, considerando, al igual que lo hacía la Teoría del Etiquetamiento, que las estadísticas oficiales explican más sobre el funcionamiento del sistema penal que sobre la realidad delincuencial.
2. En cuanto al objeto de estudio de la Criminología, se considera que este debe ser la prevención del delito, pero también el funcionamiento del sistema penal.
3. Aunque la Criminología Crítica no considere que las sociedades socialistas eliminen el delito, desconfía de los programas de intervención individualizados. Se vinculan, así, delito y justicia social, y se promueven los movimientos de equidad, desconfiando de la intervención punitiva y del fin resocializador de las penas.

De esta manera, se puede concluir este tema afirmando que la Criminología Crítica considera que se dan mayores tasas de delito en las sociedades capitalistas y que los pobres delinquirán más.

6. REFERENCIAS BIBLIOGRÁFICAS

Cid, J. y Larrauri. E. (2001). *Teorías Criminológicas*. Barcelona: Bosch.

García-Pablos, A. (2016). *Criminología. Una introducción a sus fundamentos teóricos*. Valencia: Tirant lo Blanch.

Serrano, A. (2017). *Teoría Criminológica. Una explicación del Delito en la Sociedad Contemporánea*. Madrid: Dykinson.

Williams, F. P. y McShane, M. D. (2014). *Criminological Theory*. USA: Pearson.

Capítulo XII

Teorías marxistas

1. INTRODUCCIÓN A LAS TEORÍAS MARXISTAS

Las Teorías Marxistas no se pueden comprender sin las Teorías del Conflicto, estudiadas en el tema «Modelos conflictuales», las cuales se basan o forman parte de estas, aunque con su propia identidad.

Los antecedentes de las Teorías Marxistas se encuentran en los postulados de Marx y Engels, en los trabajos de Bonger a principios del siglo XX y de Kirchheimer a finales de los años 30 del siglo pasado. Pero su desarrollo se dio, especialmente, en los países del bloque del Este durante los años de la Guerra Fría.

Se trata de explicaciones sociológicas de base macrosociológica, con el enfoque de los postulados del materialismo dialéctico en sus bases. Para estas teorías, la criminalidad es producto de la sociedad capitalista, desapareciendo la delincuencia en el momento en el que se erradique este sistema político y económico.

Así, desde el punto de vista ideológico, el materialismo histórico y dialéctico del marxismo le confiere a la perspectiva criminológica una supremacía radical de la infraestructura económica, como determinante de todo tipo de cambio o fenómeno social y, por lo tanto, también de la criminalidad. Las causas de la conducta delictiva se encontrarían, entonces, en factores ajenos al delincuente. Y la explicación del acto criminal, que aún ocurre en las sociedades socialistas, se explicaría por reminiscencias históricas del capitalismo (Teoría de los Rudimentos) o bien por el mimetismo; es decir, un efecto de contagio-criminógeno, procedente de modelos imperialistas (Teoría de la Desviación Ideológica).

En relación con esto cabe destacar que, aunque la Criminología Socialista y la occidental se interesan por los mismos temas, desde el punto de vista político- criminal el pensamiento marxista persigue y defiende la posibilidad de la total erradicación del crimen, que ocurrirá con la desaparición del sistema capitalista.

Por otra parte, desde el punto de vista metodológico, las Teorías Marxistas se caracterizan por un total monolitismo. Es decir, se mantienen estrechas al marco del método marxista-leninista (estudio de las leyes sociales, legislativas, económicas, etc.), en contra de la pluralidad errática que se consideraba que caracterizaba los enfoques utilizados por la Criminología Burguesa. Así, la producción científica en estos países socialistas fue pequeña. Ese apego al método del marxismo-leninismo dotaba de coherencia a todas las concepciones de la ideología criminológica, pero restaba capacidad de crítica y amplitud a la propia investigación.

La Criminología en los países que fueron socialistas europeos llegó a adquirir cotas de autonomía muy inferiores, en comparación con las conquistadas por esta ciencia en los países occidentales, donde solamente fue una ayuda a la jurisprudencia.

La Criminología Socialista se autodefine, entonces, como un saber práctico y aplicado, preocupado de manera prioritaria por el perfeccionamiento del control social formal y los programas de prevención. Esto se tradujo, en parte, en un endurecimiento del control social formal, que permitió la reducción de la criminalidad a costa de severas medidas de servilismo.

En los últimos años el pensamiento oficial marxista asume la imposibilidad de acabar con el crimen incluso desde una sociedad socialista.

Entre las críticas que se vierten sobre la Criminología Marxista se encuentra el hecho de que se considera que esta adolece en sus fundamentos teóricos de un exceso de dogmatismo. También que, en estos países, se encuentran factores criminógenos ajenos a cualquier sistema social y político.

2. PRINCIPALES POSTULADOS DE LA CRIMINOLOGÍA MARXISTA

A pesar de lo extenso del pensamiento marxista, el fenómeno delincuencial no fue un asunto desarrollado en demasía. Aun así, se puede extraer una serie de ideas referentes al delito, que se pueden resumir en ocho. Siguiendo a Sánchez, estas son las siguientes:

1. La ley penal es el resultado de los intereses y valores de unos pocos que logran imponer su voluntad sobre la mayoría, a través de la coerción legislativa. Como se había señalado en el tema «Modelos conflictuales», se trata del Conflicto en oposición al Consenso, que en las sociedades capitalistas es el que tiene lugar.

2. La justicia es capitalista. Esta está creada por la clase capitalista, para la clase capitalista y en contra de la clase trabajadora. Así, los miembros de la clase obrera contarán con menos recursos para la defensa de sus intereses, al contrario de lo que ocurriría con la clase privilegiada, que contará con más medios para evitar etiquetas, condenas y un ejercicio de la defensa ante la acusación de un delito más elaborado.

3. El peso del control social recae en la sociedad y es proporcional al nivel de amenaza percibido desde las clases dominantes por parte de las clases más desfavorecidas. De esta manera, en épocas de conflictos sociales y civiles, el control y la represión aumentarán contra la delincuencia obrera. Así, el control social formal se intensificará en las zonas más pobres y en aquellas áreas donde se da una mayor desigualdad.

4. Es prioritario el análisis del sistema jurídico penal. Es decir, al igual que ocurriría en todas las Teorías del Conflicto, se pretende estudiar el origen de las normas penales, su desarrollo, su funcionamiento y su etiquetamiento, todo ello desde la perspectiva de la hegemonía capitalista.

5. El sistema penal contribuye a la perpetuación del sistema capitalista, ya que promueve las desigualdades y los conflictos entre intereses grupales. Para la Criminología Marxista el Derecho es un instrumento más del capitalismo.

6. El delito no es solitario, sino que se produce con la interacción de la propia conducta desviada y las instituciones jurídicas, políticas y económicas.

7. La delincuencia es una consecuencia más de la lucha de clases, idea esta que se encuentra en el pensamiento marxista en cuanto a la desigualdad respecto a los medios de producción.

8. El delito es un comportamiento criminalizado desde la política, el cual ha sido definido y determinado como ilegal por los grupos más poderosos dentro de la sociedad. Estos llevan a cabo esta tarea contemplando sus propios intereses, que serán diferentes a los de las clases más desfavorecidas que, además, serán siempre los calificados como criminales.

El delito, dentro de la Criminología Marxista, se encuentra justificado, ya que proviene del conflicto de clases propio de las sociedades capitalistas. La Teoría de la Criminalidad Marxista parte, entonces, de la historicidad, accidentalidad, independencia y contingencia de la conducta humana en cuanto al crimen.

Se debe hacer notar que, tras el período de la Guerra Fría y la caída del muro de Berlín, un hecho que se produjo en los años 80 fue que en los países occidentalizados la tasa de criminalidad fue más alta, mientras que la de los encarcelamientos fue más baja. Por otra parte, en los países socialistas la tasa oficial de crimen registrado fue más baja y la de encarcelamiento más elevada. Esto se explica por las condiciones de vida de los países del Este, caracterizadas por la menor libertad, la presión asfixiante del control social, las penas más severas y las menores oportunidades para delinquir.

Por otra parte, estos cambios políticos de los años 80 propiciaron una situación anómica al desmoronarse los valores y reglas tradicionales en los países socialistas. De esta manera, se produjo un incremento de la delincuencia desde el comienzo de los años 90 en los países del bloque del Este, pero sin alcanzar las tasas de los países de Occidente.

También ocurrió que el cambio político explicó el descenso de las elevadas tasas de encarcelamiento (por amnistías y medidas de gracia). Al ser este un cambio político brusco y sin una transición, la anomia explica el sentido de desorientación, inseguridad y abatimiento de los ciudadanos que sufrieron las consecuencias de una sociedad en la que se produjo una descompensación entre los valores y los medios para conseguirlos.

Así se produjo ese aumento de la criminalidad, en el que también influyó la disminución de la severidad del control social formal. Aunque, por otra parte, al aumentar la delincuencia, también aumentó la sensación de inseguridad y, por tanto, las actitudes punitivas, pero en este caso por parte de la sociedad.

Todo este proceso fue menos severo en Alemania del Este porque contó con el apoyo de la Alemania Occidental. Por este motivo también su criminalidad presentó un perfil propio. Esto es, los niños y jóvenes comenzaron a delinquir antes, siendo la franja de edad más crítica entre los catorce y los quince años, los delitos fueron más violentos y se produjo un aumento de arrestos (sobre todo de varones jóvenes).

En otros países del bloque del Este, la caída del telón de acero provocó un aumento de la criminalidad (aunque no de las tasas de encarcelación), un incremento de la criminalidad violenta, una mayor tasa de delitos relacionados con el consumo de drogas y un aumento del miedo al delito y, por lo tanto, de la «punitividad».

3. AUTORES DE LA CRIMINOLOGÍA MARXISTA

En el capítulo anterior sobre las Teorías del Conflicto, «Modelos conflictuales», se han explicado algunas teorías procedentes de autores que también se pueden considerar teóricos más radicales y representantes de posturas más marxistas, como es el caso de Quinney, que evolucionó de modelos moderados a otros más radicales.

En este apartado se repasarán algunos de los trabajos de los teóricos más destacados de la Criminología Marxista, siguiendo a Tomas Winfree y Abadinsky.

3.1. Willem Adriaan Bonger

A Bonger se le ha considerado el primer criminólogo marxista. Este consideró el capitalismo como un egoísmo excesivo. Se criminalizaba la avaricia de los pobres, pero no la de los ricos, siendo esta una práctica común entre los grupos de poder, como defendía este autor. Para Bonger el capitalismo era el problema principal de la sociedad, ya que los pobres delinquían por necesidad o por un sentimiento de justicia cuando estos percibían la desigualdad e injusticia del capitalismo.

Pero Bonger defendía que la pobreza no era la única causa de la delincuencia, aunque cuando esta se mezclaba con el individualismo, el racismo y el materialismo se creaba un camino muy poderoso hacia el crimen.

Por todo esto, Bonger, consideró el socialismo como una solución a todos los problemas generados por el capitalismo, incluida la delincuencia. Esto es debido a que de esta manera se promueve el bienestar general de todos los ciudadanos.

3.2. Richard Quinney

Quinney, que ya se nombró en el capítulo «Modelos conflictuales», comenzó su Teoría Criminológica del Conflicto de manera más moderada, para después radicalizar sus postulados y desarrollarlos desde posturas marxistas.

De esta manera, Quinney, defendió que el delito es el producto del funcionamiento del capitalismo, en el que los opresores oprimen a los desfavorecidos. Esta opresión se produce desde las instituciones dominantes capitalistas, como la escuela, los partidos políticos, las religiones, los medios de comunicación, etc. Desde estas organizaciones se mentiría y se engañaría al proletariado, dando esto como resultado una falsa conciencia popular que impediría comprender la sociedad como realmente es.

Por este motivo, Quinney pretendió la desmitificación de esa falsa conciencia sobre el delito que promueve el Estado y que permite la opresión de la clase más débil.

Quinney, junto con Chambliss, describió tres tipos de delitos propios de las sociedades capitalistas. Estos fueron los delitos de las clases obreras, los crímenes de la élite y los delitos del gobierno.

Los delitos de la clase obrera serían de dos tipos:

- Los primeros vendrían representados por los crímenes de la comodidad, que no supondrían ningún tipo de peligro para el orden social, sino que más bien tendrían lugar en él. De esta manera, este tipo de delitos, que seríanPcionarios también cometerían delitos Pdepredadores, como robos en bancos y secuestros, para financiar su revolución contra el capitalismo.

Por otra parte, los delitos de la élite serían de tres tipos diferentes:

- Una de las formas delictivas de la élite sería la dominación económPica para salvaguardar los propios intereses monetarios y materiales, dominando los medios de producción a través de los precios o las licitaciones.
- Los delitos de las organizaciones serían el segundo tipo de crimen cometido por la élite. En este caso, y a modo de ejemplo, se venderían productos defectuosos o peligrosos desde las grandes empresas.
- El tercer tipo de crimen cometido por la élite es el delito de control. Este se referiría a las acciones policiales, judiciales o correctivas, que serían los instrumentos de control de la clase social privilegiada. Si tenemos en cuenta las acciones

sindicales, por ejemplo, la élite haría uso de las fuerzas policiales e incluso militares para mantener un orden en la clase obrera para, así, seguir manteniendo su hegemonía social. Y es que, en este sentido, las huelgas y las manifestaciones fueron consideradas un delito durante muchos años.

Finalmente, los delitos del gobierno harían referencia a aquellas acciones que violarían los derechos y las garantías sociales. Esto tendría lugar, por ejemplo, cuando se dan acciones militares sobre otros Estados.

3.3. Williams y Flewelling

La teoría propuesta por Kirk Williams y Robert Flewelling se inscribe en las corrientes de la criminología sociológica que enfatizan el papel de la desigualdad estructural y la privación económica como factores determinantes en la criminalidad violenta. Su postulado central sostiene que la privación de los medios necesarios para satisfacer las necesidades básicas no solo genera malestar individual, sino que de manera crucial, incrementa los conflictos sociales e interpersonales. Es esta escalada de tensión y conflicto lo que, a su vez, impulsa un aumento significativo de la tasa delincuencial, con un enfoque particular en la violencia extrema, como los homicidios.

La idea subyacente es que cuando los individuos se ven obligados a vivir bajo condiciones de extrema pobreza o deprivación material, se desata una lucha intensa por la supervivencia. Este entorno de escasez y competencia feroz por recursos limitados (alimentos, refugio, oportunidades) exacerba las tensiones en las relaciones interpersonales. La frustración generada por la incapacidad de alcanzar las metas socialmente valoradas por medios legítimos, sumada a la necesidad básica de subsistir, lleva a una mayor propensión a la agresión física como método para resolver disputas o asegurar recursos.

Por lo tanto, los homicidios son vistos no simplemente como actos de patología individual, sino como una trágica consecuencia de las luchas interpersonales que surgen directamente de la desorganización social y la desesperación económica inherente a la privación. La teoría sugiere que la reducción de las oportunidades legítimas y el aumento de la presión por la escasez crean un ambiente donde la violencia se convierte en una solución funcional, aunque destructiva, para los conflictos diarios generados por la vida en la pobreza extrema.

3.4. Krisberg

Este autor defendió que los estudios sobre el crimen deben abordar un concepto más amplio de justicia social, partiendo de la igualdad, ya que esta eliminaría el sufrimiento humano.

Krisberg defendió que el privilegio es la posesión de aquello que es valorado por un determinado grupo en un momento histórico concreto. Esos elementos específicos que son valorados (propiedades o dinero, por ejemplo) pueden cambiar dependiendo del lugar y del momento temporal, pero la clase, el poder y el estatus siempre serán aspectos propios del privilegio y de las clases privilegiadas.

Los conflictos serían el producto del mal uso de los privilegios, que vendrían de la mano del uso de la policía, los jueces y los sistemas correctivos en el propio beneficio, que determinarían el destino de aquellos acusados de delincuentes, y que representarían lo opuesto a esos privilegios. Así, los pobres y las minorías no cometerían más delitos, pero presentarían más posibilidades de sufrir procesos penales más perjudiciales.

Krisberg también indica que cuando los individuos de la clase privilegiada cometen algún acto ilegal estos raramente se perciben a sí mismos como delincuentes. Y es que las penas impuestas a los privilegiados siempre serían más benévolas que aquellas impuestas a las clases sociales más desfavorecidas.

3.5. John Hagan

Hagan se centró en el estudio del poder, al cual consideró significativo en términos de cómo este conecta a los actores sociales entre sí y con el delito.

Este autor describió dos tipos de relaciones. La primera sería la relación del poder instrumental y serviría para comprender cómo las élites obtienen ciertas metas, incluso cuando estas solamente se pueden alcanzar a través de actos delictivos. Los recursos de Delincuentes de Cuello Blanco permitirían cometer delitos sin preocupación alguna por las consecuencias de estos, mientras que los delincuentes de la calle, a pesar de contar con sus propios recursos, como las armas, sí se preocuparían por las consecuencias de sus actos. En el primer caso se podría observar un claro ejemplo de sensación de impunidad, que no ocurre en el segundo ejemplo.

El segundo tipo de relación descrito por Hagan es el del poder simbólico. Estas son las relaciones que se dan en las sociedades que consideran a ciertos individuos, o grupos de individuos, como menos vulnerables al control legal porque cuentan con mucho poder. De esta manera, el Delincuente de Cuello Blanco siempre parecerá un sujeto respetable, mientras que el delincuente de la calle será considerado de manera totalmente opuesta.

Finalmente, Hagan define la clase social en relación con la propiedad de la autoridad. De esta manera, los ejecutivos y agentes de la autoridad contarán con mayores recursos que pueden resultar en delitos de mayor impacto, mientras que aquellos con menor autoridad cometerían delitos de poca importancia (es decir, importantes solamente para unos pocos, no como en el caso de los primeros, que pueden llegar a ejecutar delitos que afecten a poblaciones enteras).

4. REFERENCIAS BIBLIOGRÁFICA

Sánchez, M. (2007). *Delito y Desviación Social. Explicaciones Teóricas*. Córboba: Advocatus.

Winfree, L. T. y Abadisnky, H. (2017). *Essentials of Criminological Theory*. Illinois: Waveland Press.

Capítulo XIII
Teorías actuales

1. TEORÍA DEL PATRÓN DELICTIVO DE BRANTINGHAM Y BRANTINGHAM

La Teoría de Brantingham y Brantingham es una Teoría Integradora como las que se explicaron en el capítulo «La moderna Sociología Criminal, los Enfoques Plurifactoriales y las Teorías Integradoras».

En este caso, los autores propusieron en 1994 una explicación criminal que tenía en cuenta el ambiente físico y la motivación del delincuente. Esta teoría tiene en consideración el factor de la oportunidad delictiva, variable esta que se encuentra muy presente en el pensamiento criminológico actual.

Estos autores explican que se deben dar ciertas condiciones para que se dé el acto delictivo.

En primer lugar, tiene que existir un individuo motivado para delinquir. En este punto se observa un componente de elección racional por parte del delincuente.

El segundo elemento que se debe dar para que se dé la delincuencia deben ser las actividades rutinarias del sujeto infractor. Es decir, el individuo lleva a cabo actividades en su día a día (actividades rutinarias) que le muestran oportunidades delictivas y maneras de llevarlas a cabo. Por ejemplo, un sujeto que frecuenta ciertos barrios conocerá sus calles, sus entradas, salidas y horarios de mayor o menor presencia de residentes.

El tercer factor que compone esta teoría es la ocurrencia de un patrón desencadenante que empuje al delincuente a tomar la decisión de delinquir. Esto puede ser, por ejemplo, ver una ventana abierta en una casa de la que se conoce que sus habitantes se encuentran fuera en su trabajo, o el descuido de un vendedor al dejar la tienda sola durante unos minutos.

El método para buscar un objeto delictivo vendría de un guion mental que el delincuente tiene conformado en base a las experiencias delincuenciales previas.

Como apuntan Garrido, Stangeland y Redondo, pueden producirse también obstáculos inesperados en la acción criminal que propicien un abandono de la actividad infractora. Los impedimentos pueden ser físicos, como una valla cerrada con pinchos en la parte de arriba, o de tipo social, como la presencia de viandantes inesperados en la zona elegida para el delito.

De la misma manera, estos autores, incluyen el factor de modificación del esquema o guion mental para buscar el objeto delictivo, fruto esto de varios intentos infructuosos de llevar a cabo el acto criminal. Así, los obstáculos pueden resultar en una prevención de delito o en un desplazamiento de este hacia una meta menos dificultosa.

2. TEORÍA DEL CONTROL SOCIAL-DESORGANIZACIÓN DE ELLIOT

La Teoría de Elliot es una Teoría Integradora que unifica la Teoría del Control Social, la Teoría de la Frustración y la de la Asociación Diferencial. Esta es una teoría muy aceptada en la actualidad.

El modelo de Elliot es secuencial; es decir, los elementos de cada una de las teorías que se integran se ponen en marcha unos a continuación de los otros.

En primer lugar, se daría una inadecuada socialización (haciendo referencia a la Teoría del Control Social, que remitiría fundamentalmente al control ejercido en la familia). Pero la Teoría de Elliot también se referiría a la frustración, que también provocaría el debilitamiento de los vínculos sociales. De hecho, ambos aspectos (la inadecuada socialización y la frustración), producirían un vínculo social inadecuado, que influiría en la delincuencia.

Se debe señalar que no todo el efecto de la frustración se produce por unos vínculos débiles, sino que esta también favorece la delincuencia directamente y no solamente por la influencia del estado de esos vínculos.

Tras el debilitamiento de los vínculos sociales, el sujeto buscará la compañía de pares iguales a él/ella. De esta manera la influencia de los otros provocará la comisión de actos desviados y delictivos como el consumo de drogas, los hurtos, etc. En ese momento, tras la desvinculación social provocada por la inadecuada socialización y la frustración, se producirá un vínculo con un grupo determinado de personas antisociales.

En resumen, la delincuencia es el producto de vínculos débiles con la vida convencional y de vínculos fuertes con personas y grupos desviados.

Además, la frustración también ejercería un papel importante y precipitante en la delincuencia, además de controles débiles de la delincuencia.

Elliot puso a prueba su teoría siguiendo el método empírico y descubriendo que aquellos que contaban con vínculos convencionales débiles y asociaciones fuertes con otros delincuentes presentaban una mayor tendencia a la delincuencia.

Por otra parte, los estudios de Elliot también hallaron que la continuidad de la actividad delincuencial además necesita del apoyo de un grupo, ya que una carrera criminal no se puede llevar a cabo en solitario, sobre todo en el caso de la delincuencia juvenil. Pero esto también tiene que ver con el hecho de que se den controles sociales informales, no lo suficientemente consistentes.

Elliot también descubrió que aquellos con una vinculación débil a delincuentes tienden a delinquir poco, siendo esto independiente de los vínculos convencionales.

3. TEORÍA DEL AUTOCONTROL DE GOTTFREDSON Y HIRSCHI

La Teoría del Autocontrol de Gottfredson y Hirschi unifica conceptos biosociales, psicológicos, de las actividades rutinarias y de la elección racional.

Estos autores diferencian entre el hecho delictivo en sí y los individuos con tendencias delictivas. Las oportunidades delictivas pueden variar, aunque el número de sujetos con predisposiciones delictivas no lo haga.

La base de la Teoría del Autocontrol es que el sujeto no delinque por el autocontrol que ejecuta y que se aprende en la infancia temprana. Aunque también especifica que la ausencia de autocontrol puede contrarrestarse con otros rasgos de personalidad del sujeto o por características de su ambiente y, de esta manera, tampoco delinquir. El autocontrol presenta un componente individual y un componente social.

La novedad de esta teoría se encuentra en el hecho de que explica por qué no delinquimos, yendo las Teorías Criminológicas por el camino contrario, en general.

El delito produce una gratificación inmediata con poco esfuerzo, con una satisfacción de necesidades y deseos que además puede acarrear un *arousal* emocional propio de la búsqueda de sensaciones. Es verdad que los beneficios a largo plazo son escasos, pero se trata de actos que requieren poca planificación y habilidad, aunque se da dolor en las víctimas.

Lo que dicen entonces Gottfredson y Hirschi es que las personas con un elevado autocontrol presentan características contrarias a la existencia delictiva. Es decir, estos sujetos se suelen esforzar en las tareas de la vida, distinguen las gratificaciones, planean a largo plazo, son prudentes, tienen en cuenta el trabajo, la vida afectiva, los amigos y la familia, sienten empatía por el sufrimiento de los otros, etc. Esto es, todas las características propias de las personas con un buen autocontrol son contrarias a la vida criminal.

Sin embargo, las personas con un autocontrol bajo tienden a las recompensas inmediatas, fáciles, presentan insensibilidad emocional, un gusto marcado por la toma de riesgos, no cuentan con habilidades académicas ni cognitivas, son egocéntricos y no consideran las consecuencias de sus acciones. Por este motivo, las personas con un bajo autocontrol tenderán a la vida delictiva.

La ausencia de autocontrol no conllevaría por sí misma la vida delictiva inexorablemente, pero sí ocurriría que este se puede manifestar también en otro tipo de conductas como el consumo de sustancias ilegales, los comportamientos emocionantes, etc., que, al fin y al cabo, se relacionan también con modos de vida antisocial.

En una segunda parte de su teoría, Gottfredson y Hirschi describieron la causa de la conducta de autocontrol y cómo se adquiere esta.

Al contrario de lo que defenderían las Teorías del Aprendizaje, en realidad los rasgos de personalidad propios de la ausencia de autocontrol vendrían dados por sí mismos. Es decir, el autocontrol debe aprenderse, debe adquirirse y debe ocurrir en la interacción educativa desde la infancia temprana.

Así, los cuidadores y educadores corregirán las conductas desviadas de los niños (que siempre tendrán un componente de elección racional).

Cuando el niño recibe un correctivo por una conducta inadecuada, va aprendiendo a controlar sus tendencias al placer inmediato e interiorizando estrategias de control de impulsos.

4. LA TEORÍA DE LA COERCIÓN DE PATTERSON

En el ámbito de la violencia intrafamiliar se pueden especificar numerosas Teorías Criminológicas hoy en día que se podrían clasificar en diferentes tipos teniendo en cuenta dos aspectos principales.

El primero tendría en cuenta al agresor y a la víctima: es decir, existirían teorías sobre la violencia de padres a hijos, la violencia en la pareja, la violencia de menores a padres y la violencia a ancianos.

El segundo se basaría en los tipos de violencia intrafamiliar ejercidos, entre los que se distinguen el maltrato físico, el psicológico, el económico y el sexual.

Estos malos tratos se han explicado a través de teorías específicas que proceden de la tradición criminológica. Así, por ejemplo, desde la perspectiva del Aprendizaje Social, la Teoría de la Coerción de Patterson ha dado cuenta del maltrato por parte de los menores hacia sus padres, siempre y cuando estos últimos ejerzan prácticas educativas estrictas y al final se dé una bidireccionalidad conductual coercitiva entre estos y aquellos.

Patterson demostró que las prácticas educativas ejercidas con excesiva dureza pueden evocar las mismas respuestas en los menores, y que el castigo corporal pone en marcha un mecanismo coercitivo entre padres e hijos que, posiblemente, comience en la infancia temprana y culmine en la adolescencia con agresiones a padres por parte de sus hijos.

Lo que ocurre es que los padres autoritarios ejercen una influencia sobre los menores enseñándoles la eficacia y lo ventajoso de las prácticas violentas.

De esta manera, el joven emitirá el mismo tipo de conductas hacia sus padres, dándose así un intercambio de prácticas aversivas. Se trata de un círculo violento en el que el padre, ante la violencia del hijo, tiende a incrementar el castigo corporal.

Pero también puede ocurrir que las conductas disruptivas de los menores puedan ser reforzadas por las respuestas de los padres; es decir, el menor percibe las demandas, los límites y la rigidez en las normas en el hogar, contraatacando con conductas violentas o coercitivas (como las pataletas cuando son pequeños y las conductas más físicas cuando son mayores) y el padre cede ante el ataque del hijo reforzando negativamente el comportamiento este.

5. TEORÍA DEL DESARROLLO DE MOFFIT

La Teoría del Desarrollo de Moffitt es una de las más aceptadas y populares en la actualidad para explicar la delincuencia juvenil.

Moffitt distingue dos tipos de delincuentes juveniles: los limitados a la adolescencia (Limited), es decir, los que solamente delinquen durante este período evolutivo, y los delincuentes persistentes a lo largo de la vida, es decir, los que además de delinquir durante la adolescencia lo hacen con anterioridad y con posterioridad también.

Los primeros, los sujetos delincuentes limitados a la adolescencia, presentarían infancias normalizadas, pero al llegar a esa adolescencia experimentarían un desequilibrio entre la madurez biológica y la que la sociedad permite a esa edad. Por ese motivo se buscan modelos a imitar, que suelen ser los de los sujetos más problemáticos y populares que vivirían de manera antisocial. Este tipo de jóvenes abandonaría la delincuencia al llegar a la edad adulta.

Sin embargo, el grupo de delincuentes persistentes a lo largo de la vida serían ya niños difíciles de pequeños, presentando comportamientos disruptivos y difíciles de controlar, tanto por los padres como por los profesores. Las causas se podrían hallar en lesiones cerebrales, influencias medioambientales durante la gestación o un desarrollo cerebral anómalo durante este mismo período del embarazo.

Una vez que estos llegan a la adolescencia, se convertirían en seres delictivos y antisociales que servirían de modelo a los delincuentes limitados a la adolescencia. Una vez alcanzada la edad adulta, estos sujetos serían los que se convertirían en adultos delincuentes.

La Teoría de Moffitt explica los elevados porcentajes de delincuencia juvenil. Se debe señalar también que estas dos tipologías han sido divididas en más en las últimas investigaciones de esta autora. Pero en este apartado se ha optado por presentar la base conceptual de la teoría para facilitar su primera aproximación.

6. LA TEORÍA DEL TRIPLE RIESGO DELICTIVO DE SANTIAGO REDONDO

Santiago Redondo es profesor de la Universidad de Barcelona y uno de los más ilustres criminólogos de España y a nivel internacional.

Redondo desarrolló la Teoría del Triple Riesgo Delictivo, que se centra en una ordenación de factores explicativos de la delincuencia.

Este autor distingue tres grupos de riesgos para la delincuencia: los denominados Riesgos A o disposiciones y capacidades personales, los Riesgos B o los riesgos del apoyo social y los Riesgos C o riesgos de oportunidad delincuencial.

En base a esta clasificación, Redondo defiende que el delito y los procesos que lo precipitan se hacen más probables cuando se suman riesgos de las tres categorías descritas.

La Teoría del Triple Riesgo Delictivo no se introduce en la dinámica etiológica de la delincuencia, diferente esto a las ya conocidas explicaciones de la literatura criminológica, como las Teorías del Aprendizaje, de la Tensión, del vínculo social, del Etiquetamiento, etc.

Volviendo a las tres dimensiones de riesgo descritas por Redondo, se debe señalar que, además de suponer un riesgo delictivo, también pueden funcionar como mecanismos de protección delictiva. Esto significa que cada uno de estos tipos de riesgo se puede entender como un continuo en el que en un extremo se da la protección absoluta y en el otro el riesgo más acentuado.

Así, el riesgo delictivo de un sujeto en un momento determinado depende de la combinación de los tres tipos de riesgos descritos por Redondo.

El de la oportunidad delictiva es la situación que favorece la emisión de un delito, pero los factores de riesgo de tipo individual son más variados. Así, estos serían, por ejemplo, la impulsividad, la baja inteligencia, la tendencia a la toma de riesgos, la baja motivación para el logro, etc.

Por el contrario, los factores protectores para la delincuencia de tipo individual son algunos como el autoconcepto, la autoestima realista, la capacidad de superación, la empatía, la conciencia y la culpabilidad, etc.

De la misma manera, los factores de riesgo de tipo B o sociales serían la situación económica familiar baja, el conflicto con los padres, el alcoholismo de estos, el estilo educativo inconsistente, la relación con pares conflictivos, etc.

Así, los factores de protección de tipo social serían los modelos positivos, la relación con amigos prosociales, la existencia de un buen control social informal, la zona de residencia no delictiva, etc.

Santiago Redondo también tiene en cuenta los clásicos factores de riesgo y de protección de tipo estático y dinámico, siendo estos últimos de gran importancia para llevar a cabo programas de prevención e intervención en la delincuencia.

7. REFERENCIAS BIBLIOGRÁFICAS

Garrido, V., Stangeland, P. y Redondo, S. (2001). *Principios de Criminología.* Valencia: Tirant lo Blanch.

Moffitt, T. E. (1993). Adolescece-Limited and Life-Course-Persitent Antisocial Behavior: A Developmental Taxonomy. *Psychological Review, 100*(4), 674-701.

Serrano, A. (2017). *Teoría Criminológica. Una explicación del Delito en la Sociedad Contemporánea.* Madrid: Dykinson.

BIBLIOGRAFÍA COMPLEMENTARIA

Abraham, K. (1975). Psicoanálisis clínico: Una colección de sus obras completas (1911-1925). Ediciones Hormé.

Akers, R. L. (1998). Social Learning and Social Structure: A General Theory of Crime and Deviance. Northeastern University Press.

Akers, R. L., & Sellers, C. S. (2019). Criminological Theories: Introduction, Evaluation, and Application (7th ed.). Oxford University Press.

Bandura, A. (1977). Social Learning Theory. Prentice Hall.

Bandura, A. (1997). Self-efficacy: The exercise of control. W. H. Freeman and Company.

Becker, H. S. (1963). Outsiders: Studies in the Sociology of Deviance. The Free Press.

Bowlby, J. (1951). Maternal care and mental health. World Health Organization.

Cattell, R. B. (1965). The Scientific Analysis of Personality. Penguin Books.

Chapman, D. (1968). Sociology and the Stereotype of the Criminal. Tavistock Publications.

Cloward, R. A., & Ohlin, L. E. (1960). Delinquency and Opportunity: A Theory of Delinquent Gangs. The Free Press.

Cohen, A. K. (1955). Delinquent Boys: The Culture of the Gang. The Free Press.

Cohen, L. E., & Felson, M. (1979). Social change and crime rate trends: A routine activity approach. American Sociological Review, 44(4), 588–608.

Cornish, D. B., & Clarke, R. V. (1986). The Reasoning Criminal: Rational Choice Perspectives on Offending. Springer-Verlag.

Durkheim, É. (1982). Las reglas del método sociológico (E. Tiryakian, Ed.). The Free Press. (Obra original de 1895).

Durkheim, É. (1997). Suicidio: Un estudio de sociología. The Free Press. (Obra original de 1897).

Erickson, K. T. (1966). Wayward Puritans: A Study in the Sociology of Deviance. John Wiley & Sons.

Erikson, E. H. (1963). Infancia y sociedad. W. W. Norton & Company.

Erikson, E. E. (1968). Identidad: Juventud y crisis. W. W. Norton & Company.

Eysenck, H. J. (1964). Crime and Personality. Houghton Mifflin.

Eysenck, H. J., & Eysenck, S. B. G. (1976). Psychoticism as a Dimension of Personality. Hodder and Stoughton.

Faris, R. E. L. (1955). Social Disorganization. Ronald Press Co.

Freud, A. (1946). El yo y los mecanismos de defensa. International Universities Press.

Freud, S. (1961). El malestar en la cultura. W. W. Norton & Company. (Obra original de 1930).

Freud, S. (1961). Más allá del principio del placer. Liveright. (Obra original de 1920).

Freud, S. (1961). El yo y el ello. Liveright. (Obra original de 1923).

Garrido, V., Stangeland, P., & Redondo, S. (2001). Principios de Criminología. Tirant lo Blanch.

Glaser, D. (1964). The differential-anticipation theory of crime and delinquency. Journal of Research in Crime and Delinquency, 1(2), 85–94.

Glueck, S., & Glueck, E. (1950). Unraveling Juvenile Delinquency. Harvard University Press.

Gottfredson, M. R., & Hirschi, T. (1990). A General Theory of Crime. Stanford University Press.

Guerry, A-M. (1833). Essai sur la statistique morale de la France. Crochard.

Hirschi, T. (1969). Causes of Delinquency. University of California Press.

Jeffery, C. R. (1965). Criminal behavior and learning theory. Journal of Criminal Law, Criminology and Police Science, 56(3), 294–300.

Jung, C. G. (1968). El hombre y sus símbolos. Dell Publishing.

Jung, C. G. (1971). Tipos psicológicos. Princeton University Press. (Obra original de 1921).

Klein, M. (1975). Envidia y gratitud y otros trabajos. Paidós. (Colección de trabajos representativos).

Laub, J. H., & Sampson, R. J. (2003). Shared Beginnings, Divergent Lives: Delinquent Boys to Age 70. Harvard University Press.

Lemert, E. M. (1951). Social Pathology: A Systematic Approach to the Theory of Sociopathic Behavior. McGraw-Hill.

Merton, R. K. (1938). Social structure and anomie. American Sociological Review, 3(5), 672–682.

Moffitt, T. E. (1993). Adolescence-Limited and Life-Course-Persitent Antisocial Behavior: A Developmental Taxonomy. Psychological Review, 100(4), 674–701.

Opp, K-D. (1989). Theories of Criminal Behavior and Deviance. (Libro representativo de su crítica al etiquetamiento).

Patterson, G. R., Reid, J. B., & Dishion, T. J. (1992). Antisocial Boys: Vol. 4. A Social Interactional Approach. Castalia Pub. Co.

Quetelet, A. (1842). A Treatise on Man and the Development of His Faculties. (Traducción al inglés de su obra fundamental de Estadística Moral, 1835).

Redondo, S. (2015). Manual para el tratamiento de jóvenes y adultos delincuentes. Pirámide.

Reik, T. (1948). Escuchar con el tercer oído: La experiencia interior de un psicoanalista. Farrar Straus and Company.

Reik, T. (1949). El Masoquismo en el hombre moderno. Grove Press.

Sampson, R. J., & Laub, J. H. (1993). Crime in the Making: Pathways and Turning Points Through Life. Harvard University Press.

Sampson, R. J., Raudenbush, S. W., & Earls, F. (1997). Neighborhoods and violent crime: A multilevel study of collective efficacy. Science, 277(5328), 918–924.

Serrano, A. (2017). Teoría Criminológica. Una explicación del Delito en la Sociedad Contemporánea. Dykinson.

Shaw, C. R., & McKay, H. D. (1942). Juvenile Delinquency and Urban Areas: A Study of Rates of Delinquency in Relation to Differential Characteristics of Local Communities in American Cities. University of Chicago Press.

Sutherland, E. H. (1947). Principles of Criminology (4th ed.). J. B. Lippincott Company.

Trasler, G. (1962). The Explanation of Criminality. Routledge & Kegan Paul.

Tittle, C. R. (1995). Control Balance: Toward a General Theory of Deviance. Westview Press.

Williams, K. R., & Flewelling, R. L. (1993). Beyond anomie and strain: An assessment of the relative contributions of economic deprivation and family disruption to violent crime. Criminology, 31(4), 543–574.

Wolfgang, M. E., Figlio, R. M., & Sellin, T. (1972). Delinquency in a Birth Cohort. University of Chicago Press.